ハワイに伝わる癒しの秘法

みんなが幸せになる ホ・オポノポノ

神聖なる知能が導く、
心の平和のための苦悩の手放し方

SITH Ho'oponopono: The Way of the Divine Giving Up Suffering for Peace of Mind

イハレアカラ・ヒューレン
インタビュー 櫻庭雅文

徳間書店

まえがき

本当の自由、豊かさ、幸せを自らの手で取り戻す方法

私はいま、世界各地の人々の招請を受けて、セルフアイデンティティ・スルー・ホ・オポノポノ（Self-Identity Through Ho'oponopono＝ＳＩＴＨホ・オポノポノ）の普及のために各国を飛び回っています。本当は、自分の家でのんびり過ごすのが性に合っているのですが、さまざまなところを訪れ、クリーニングしつづけるのが、私のもって生まれた役割だと思っています。

実際、私が訪れるところ、会う人ごとに、クリーニングしなければならないことが待ち構えています。

というより、クリーニングしなければならないところに行き、クリーニングしなければならない問題を抱えている人たちに会い、私自身の潜在意識の中の記憶を消去しつづけるよう導かれているのです。

「クリーニング」「潜在意識の中の記憶を消去」と言っても、何のことかと首をひねる人がいると思うので、ここで簡単に説明しておきましょう。

ホ・オポノポノでは、私たちの潜在意識の中の「記憶（Memory）」が、私たちの生き方を歪《ゆが》めていると考えます。世界が創造されて以来蓄積されてきたさまざまな記憶が、私たちの行動、生き方に反映され、数々の障害、苦悩を生み出しているのです。したがって、その記憶を消してしまえば、そのような悩みや苦しみはなくなります。

このような障害や苦悩を生み出す潜在意識の中の記憶を消去することを、ホ・オポノポノではクリーニングと呼んでいます。記憶を消去することにより、本来のあり方、生き方を取り戻し、無限の自由、豊かさ、幸せを手に入れることができるのです。

そして記憶は、私たち一人ひとりの潜在意識の中にあります。したがって、自分の潜在意識の中の記憶を消去すれば、自分自身も、世の中も、変えることができます。ほかの人に頼ったりせずに、自分自身ですべて解決できるのです。

ＳＩＴＨホ・オポノポノは、〝誰でも〟〝自分だけでできる〟問題解決のプロ

まえがき
本当の自由、豊かさ、幸せを自らの手で取り戻す方法

セスなのです。

本書では、ＳＩＴＨホ・オポノポノについて、第１章で創始者のモーナ・ナラマク・シメオナとの出会いを通してその世界観を紹介し、第２章で本来のあるべき生き方とはどのようなものかを述べ、第３章でクリーニングの具体的な方法について解説します。

さらに、第４章の鼎談《ていだん》でホ・オポノポノに関する理解を深めていただき、付録の体験談で実際にホ・オポノポノを実践した人たちがどのような経験をしているか知っていただきたいと思います。

私は、日本の読者の方たちが、私たちの理解を超える平和とともにあることを願っています。

日本人は、世界を救う特別な役割を担っているので、その実現のために、私自身、クリーニングを続けますし、より多くの人たちがホ・オポノポノのプロセスで浄化してくれることを願ってやみません。

最後になりましたが、本書をまとめてくれたエディックスの櫻庭雅文氏に感謝します。彼と会ったとき、私は神聖なる存在（Infinite/Divine Intelligence）

を介して彼とつながっていることがすぐわかりました。本書は、彼が私へのインタビューをもとに、彼自身のインスピレーションで原稿に起こしてくれたものです。

また、本書の出版を実現してくれた徳間書店の力石幸一氏、企画をアレンジするとともに鼎談に参加してくれた船井メディアの人見ルミ氏と高岡良子氏、そしていつも日本における私のマネジメントに粉骨砕身してくれる平良ベティー氏に感謝しつつ、まえがきの筆を措きます。

２００８年９月10日

ＰＯＩ*

イハレアカラ・ヒューレン

＊「ＰＯＩ」は「Peace of I」の略で、「私の平和」を意味します。

みんなが幸せになるホ・オポノポノ

第１章
思うように生きられないのは過去の記憶が原因だった

第2章 本当の人生を取り戻して自由に、豊かに、幸せに生きる

第3章 潜在意識をクリーニングしてあるがままに生きる方法

第4章　鼎談
人類がこれまで背負ってきた悩みはすべて解消できる

付録　体験談
ホ・オポノポノで開いた素晴らしい人生の扉

装幀●渡邊民人（TYPE FACE）
編集協力●㈱エディックス
章扉写真●小原孝博
校正●海老沢基嗣／広瀬泉

第1章
思うように生きられないのは
過去の記憶が原因だった

不幸な記憶をクリーニングして本来の生き方を取り戻す

ホ・オポノポノは、もともと400年前からハワイの人たちに伝わっていた問題解決の方法です。

かつてハワイでは、仲間内でなんらかの問題が持ち上がったとき、関係する人たちがまとめ役を中心にして問題を徹底的に議論しつくし、それによって人々の心を癒しました。このようにして、問題を根本から解決しようとしたのです。

本書で紹介するホ・オポノポノは、「SITHホ・オポノポノ（Self-Identity Through Ho'oponopono＝SITH）」といって、ハワイの人間州宝となった伝統医療のスペシャリスト、故モーナ・ナラマク・シメオナ（1913〜1992年）がインスピレーションを得て開発したものです。

しかし、モーナが開発した方法といっても、私はより原初的かつ本質的なかたちだと思っています。すなわち、個人がそれぞれ神聖なる存在と一体化し、インスピレーションを得る方法だからです。

神聖なる存在とは、「命の源」を意味します。創造主もしくは神様といってもいいでしょうし、仏陀といっても構いません。「永遠」というとらえ方をする人たちもいるかもしれません。

ハワイ語で、「ホ・オポノポノ」の「ホ・オ」は「目標」を、「ポノポノ」は「完璧」を意味します。すなわち、ホ・オポノポノとは、完璧を目標として「修正すること」「誤りを正すこと」という意味になります。

物事が完璧でなくなるのは、潜在意識の中の過去の記憶が再生されて、現在に投影されるからです。

私たちの潜在意識は、宇宙が創生されてからのすべての記憶にアクセスして、瞬間瞬間膨大な記憶を立ち上げています。私たちが認識しているのは表面意識ですが、その100万倍の記憶が1秒間のうちに潜在意識の中で立ち上がっているのです。

その中の病気や事故、挫折、不幸など、過去のいまわしい記憶が、私たちの人生に反映されて不幸なことを引き起こしているのです。

いま、悩みや不幸を抱えていたり、経済的に恵まれなかったりしているのは、過去の記憶のせいなのです。

モーナは、そういった潜在意識の中で毎秒立ち上がる過去の記憶を消去し、神聖なる存在と一体化する方法を示しました。これにより過去の記憶に惑わされることなく、神聖なる存在からのインスピレーションを受け、人間本来のあるべき生き方ができるようになります。

すなわち、自分自身であることを取り戻すことができるのです。

潜在意識の中に記憶が詰まっていると、神聖なる存在からのインスピレーションが降りてきません。潜在意識の中の過去の記憶を消去するためには、潜在意識の中の記憶をクリーニングしつづけなければなりません。

すべての原因は自分の潜在意識の中にあると考え、その記憶に感謝して慈しみ、そして消去するのです。

私はモーナの跡を継ぎ、ＳＩＴＨホ・オポノポノの普及に努めてきました。世界中を回ってセミナーを開催するとともに、人間が抱えるさまざまな不幸な記憶のクリーニングを続けています。

ただし、モーナや私がいまやっていることは、とくに新しいことではありません。仏陀をはじめとする聖人たちが、人間がこの世に誕生して神と分離してからずっとやりつづけてきたことなのです。突き詰めると、みんな同じことなのです。

本書では、ＳＩＴＨホ・オポノポノを知って実践していただくよすがとして、モーナとの出会いから話を始めたいと思います。

何度も否定しては距離を縮めたモーナとの出会い

私はユタ大学で修士号をとったのち、１９７３年にアイオワの大学で心理学教育の博士号をとって、その後、心理学者や教育者を養成する大学関連の学校の校長になりました。また、発達障害など特殊な問題を抱えている子供たちの教育やケアにも携わりました。

当時、私の周りには常にストレスを抱えている人たちが大勢いたので、とくに身体に障害をもつ子供を抱えている家族のケアをやりたいと思っていました。

１９７６年にアイオワからハワイに移り、１９８０年まで精神に障害のある生徒を扱う学校で校長を務めていました。しかし、家庭の事情もあって校長の仕事にはピリオドを打ちました。

　そして私は１９８２年、41歳のときに、ＳＩＴＨホ・オポノポノの創始者、モーナ・ナラマク・シメオナと出会うことになったのです。

　心理学の新しい局面を開拓しようとか、自分に何か悩みがあって彼女のもとを訪れたわけではありません。まるで何かに引きつけられるように、モーナのセミナーに参加したのです。そのクラスでどういうことが行われるのかも、まったく知らないままでした。

　セミナーの初日、「すべてのことはあなたが原因ですよ」と言われました。これは、ＳＩＴＨホ・オポノポノの本質です。しかし、当時はそんなことはまったく知りませんでした。変なことを言う人だな、と思いました。

　そしてセミナーが始まってすぐ、モーナは25～30人の参加者のテーブルの中心に「中国人の男性が座っているのが見えますか」と言いました。

　しかし、そんな男性などいません。私は、モーナは精神的に病んでいるのではないかと思い、すぐにセミナーの席を立って帰りました。

　しかし、その１週間後、私はまたモーナのセミナーに参加していました。いま考えても、どうして前の週に途中で抜け出したセミナーに参加することにしたのか、まったくわかりません。

人間は、あのときなぜあんなことをしたのだろうと、過去を振り返って考えることがありますが、実際には自分で選択しているわけではありません。潜在意識に誘導されているのです。

私も、まさに潜在意識に従って再度セミナーに参加することになったのです。

今度は、なんとかセミナーの最後までいましたが、セミナーが終わってからモーナは次のように言いました。

「あなたがくる2週間前に、私はあなたがくるところを見ていました」

私は、この言葉を聞いて、「これは嘘だ！」と思いました。

モーナは、一見とてもやさしそうなおばあさんに見えました。一緒にいるのは楽な人でしたが、話すことに何も根拠がありません。

私は論理的な思考が身についていたので、彼女が言うことはどう考えても納得できませんでした。

私はまた、彼女の考え方はとうてい受け入れられないと思いながら帰ることになりました。

神聖なる存在と直接つながるホ・オポノポノの方法

しかし、私はまたモーナのもとを訪ねることになりました。自分でもわかりませんが、「行け」と言われるような感覚があったのです。誰かに呼ばれているような感じでした。

そして、3度続けて土日のセミナーに参加することになりました。

モーナのセミナーは受講料が500ドル（当時約11万7650円）もしましたから、2度もそれだけのお金を無駄にしているのに、自分の足がモーナに向くのは、ちょっとしたショックでもありました。

3度目はモーナが丁寧にクリーニングしてくれていたので、すでに前回参加したセミナーで様子がわかっていた私は、翌日から一緒に仕事をすることになりました。

しかし、モーナとは給料の話をすることもなく、仕事といってもなんの保証もありませんでした。

当時、私は離婚したところだったので、モーナの仕事を手伝いはじめて、安定した職業があって、素敵な家に住み、家族があり子供がいるという生活から、保証も住むところも家族も子供もいない生活に入ることになったのです。

2度にわたって足を止めつつ、どうしてそういう生活を選ぶことになったのか、自分でもよくわかりません。モーナに、「手伝って」と言われたわけでもありません。自然にそうなったのです。

私の家族で大学を出たのは、私だけです。私は高校を卒業後、何をしようなどと考えていませんでしたが、1962年にコロラド大学を卒業しました。博士号をとったのも、自分で何かをしたいと思って選んだ記憶はありません。潜在意識に動かされて生きてきたとしか、言いようがないのです。

モーナと一緒に仕事をすることになったのも、潜在意識がそうさせたのだと思います。

私たちが一緒に仕事をするようになってから1年後の1983年、モーナはハワイの人間州宝に認定されましたが、そんなに高い評価を受けている人とは思いもしませんでした。

ハワイの人たちが大勢いるところにモーナと行ったことがありますが、彼女が部屋に入っていったらみんな離れていきました。尊敬されているからかなと思ったらそうではなく、モーナが伝統的なホ・オポノポノを教えていなかったので敬遠されていたのです。

もう４００年も続いてきた伝統的なホ・オポノポノでは、指導者がいてみんなが発言して問題を解決していきます。しかし、それぞれの参加者の考え方が違うので、本当の解決にはならないことも多いのです。

モーナは、個人が直接、神もしくは神聖なる存在とつながる方法、ＳＩＴＨホ・オポノポノを提唱しました。

自己を「ウハネ（Uhane＝母、表面意識）」「ウニヒピリ（Unihipili＝子供、潜在意識＝インナーチャイルド）」「アウマクア（Aumakua＝父、超意識）」「Divine Intelligence＝神聖なる存在」の四つに分け、これを「セルフアイデンティティ」として一人ひとりが自らの内にある神聖なる存在とつながり、本来の生き方を取り戻すプロセスを開発したのです。

潜在意識の中の記憶をクリーニングすることによって、表面意識↓潜在意識↓超意識↓神聖なる存在とつながり、神聖なる存在から表面意識まで光が通るようにしてインスピレーションが降りてくるのです。

伝統的なホ・オポノポノではまとめ役が必要ですが、ＳＩＴＨホ・オポノポノではそういう介在者は必要ありません。

さまざまな宗教があって、お坊さんや神父、牧師、ファキールなどがいますが、私たち人間は、そういう人を介さなくても、もともと神聖なる存在と直接コンタクトしていたはずなのです。

私はモーナに、そもそもＳＩＴＨホ・オポノポノをなぜ始めたのか、聞いてみたことがあります。

モーナは、神聖なる存在と直接話して、こんな方法があるんだと教えてもらったと言いました。神聖なる存在が「私のやり方と宗教的な方法と、どっちでやりたいのか」とモーナに聞いたというのです。

いま伝統的といわれているハワイのホ・オポノポノでは、最後に「イエスの御名において」と言って儀式が終わります。伝統的と言いながら、カソリックに取り込まれているのです。

人間は悟った存在ですから、本当なら神聖なる存在の声が常に聞こえているはずです。しかし、潜在意識の中のさまざまな記憶にとらわれているので、その声が聞こえないのです。モーナには、これが常に聞こえていますから、何も疑うことなく神聖なる存在の言うとおりにしていたのです。

これは、みんなできるはずのことです。これが本当に理解できれば、素直な気持ちになってクリーニングできるし、神聖なる存在の声も聞こえてくる、すなわちインスピレーションが降りてくるのです。

個々人が直接、神聖なる存在と結びつくことができるのですから、神父や牧師、お坊さんのような介在者は必要ありません。

神聖なる存在からインスピレーションが降りてくると、記憶に惑わされずに本来の生き方ができるようになります。病気、悩みや苦しみから解放され、悟りの境地で生きることができるのです。

大学で教えているセラピーとは180度違う方法論

あるとき、二人の女性がモーナを訪ねてきました。娘さんのほうに悩みがあって、お母さんが付き添ってモーナのセラピーを受けにきたのです。

二人が席に着き、モーナが私を呼んだので同席しました。モーナは「どうしましたか」

と問いかけ、娘さんが話しはじめたら、相談者に断りもせずに電話をとったりコーヒーをいれたり、あっちへ行ったりこっちへ行ったりしはじめました。落ち着いて話を聞いていないのです。

私がそれまで知っていた心理学では、相談者の話にセラピストは真剣に耳を傾けなければならないと教えていました。ですから、モーナのこのようなやり方は私にとって驚きでした。そんなことをしていたら、相談者は怒って帰ってしまいます。私は、ハラハラしていました。

しかし、二人は約25分後、次のように言って帰っていったのです。

「ありがとう。とても気持ちが楽になりました」

あとでわかったのですが、モーナは親子が訪ねてくる前に、クリーニングしていたのです。私がそれまで知っていた心理学のやり方とは、１８０度違う方法論でした。

娘さんが悩んでいるすべての原因が相談を受けるモーナの中にあり、しかも悩みの内容に関係なく相手が目の前にいなくてもクリーニングできるのですから、相談にきたときに、もう悩みは解消しているのです。

それからしばらくたって、その母と娘がまた、モーナのセラピーを受けにきました。今度は、お母さんに悩み事があって相談に訪れたのです。

お母さんは、娘さんが抱えていた問題を見事に解決してくれたので、自分もセラピーを受けたいとやってきたのでした。

お母さんは、入れ歯を治すためにハワイの日系人の歯医者をあちこち回ったそうですが、どうも具合がよくないのだそうです。何度調整してもらっても、一度も入れ歯が合ったためしがないというのです。

これに対してモーナは、「白人の歯医者に行きなさい」と言いました。このアドバイスは、モーナのインスピレーションでした。

お母さんは85歳くらいで、ハワイではそのくらいの年齢の人はふつう白人の歯医者にはかかりません。白人より東洋人のほうが安心できるからです。

このアドバイスに従って白人の歯医者を訪ねたお母さんは、たった一度の治療で入れ歯がぴったり合ったと、とても喜んで報告にきてくれました。満足した笑顔がとても印象的でした。

ホ・オポノポノは、このように人を満足させ、幸せにすることができます。その人が、本来あるべき姿に戻すことができるからです。

でもモーナは、こういうことを決して自慢したりしませんでした。彼女は自分のしていることを楽しんでいて、きわめて当たり前のことのように、そういうことをしてしまうのでした。

私も、モーナのしていることを自然に受け入れていました。ですから、私は一度も彼女のしていることをすごいと思ったことはありません。

クリーニングしつづけることによって人生の新たな局面が開ける

私はモーナから、何ひとつ教えてもらいませんでした。彼女は、私に関して自分の潜在意識をクリーニングしていただけなのです。そのお陰で私はクリーンになり、神聖なる存在からインスピレーションがもらえるようになりました。

このようにして、私自身、こんなことができるんだと思うようになり、さらに自分でもやってみたいと思うようになりました。

しかし、モーナがいなくなる寸前まで、モーナがやってきたことを引き継ぐとは思って

いませんでした。

16年前の1992年に、モーナはドイツで亡くなりました。いや、亡くなったというより、進化した、もしくは変化したと言ったほうがいいかもしれません。なんの前触れもありませんでした。

そのときはじめて、モーナが私と出会ったときから、クリーニングしてくれていたことがわかりました。だから、彼女は私がくることが2週間前からわかっていたのです。2回目に参加したセミナーの最後にモーナが言ったことは嘘ではなかったのです。

彼女が肉体的にこの世に存在しなくなったとき、はじめてそういったことが自分の中にちゃんと収まった感じがしました。

私は、あるがままに生きてきました。計画もしないし、管理もしないし、操作もしない。ただ、あるがままに歩いてきただけです。博士号にしても、それをとるために勉強したわけではなく、勉強していたら博士号がもらえただけなのです。

ホ・オポノポノに関しても、モーナのあとを、犬の尻尾を追いかけるように、ただついてきただけです。私は、彼女がやっていたことをただ続けているだけです。すなわち、クリーニングしつづけているだけなのです。

ですから、なぜこういう仕事をしているのか、いまもってわかりません。私は、こういう生き方をするということを承認しているだけです。

私は、一瞬一瞬、その場所に存在して、クリーニングしているだけです。クリーニングするために存在しているのです。

クリーニングすることによって、あるべきことが自然に起きるようになって、次の展開が開けてきます。私がクリーニングしてクリアになれば、ほかの人たちみんなもクリアになって、物事が先に動いていくことになります。

２００８年3月、大阪で私のセミナーがありましたが、京都のウェスティン都ホテルのラグジュアリースイートに泊まり、ロールスロイスで迎えにきてもらいました。その手配をしてくれたのは、素晴らしい成功を収めた日本の実業家でしたが、彼は糖尿病で悩んでいたので、クリーニングしました。

また、日本ではタクシーに乗って移動しますが、日本で私のマネジメントを担当してくれているベティーさんは道に詳しいので、タクシーが最短距離を走らないことが多々あると言います。しかし、２００８年7月に東京にきたときには靖国神社のそばを通り、クリーニングすべき多くの魂と出会いました。

タクシーは遠回りしているのではなく、私がクリーニングすべきところを回ってくれていたのです。

このように、私はクリーニングしつづけて日本の人たちから招かれ、さらに日本にきたら、クリーニングすべき新たなことに出合うのです。本書第4章の二人の女性を交えた鼎談でも、私はクリーニングするチャンスを与えられました。

このように、私は常にクリーニングしつづけています。クリーニングすることによって新しい展開があり、その先に私がクリーニングすべきことが待っているのです。

罪を犯した精神障害者の収容施設でクリーニングした私の体験

私はモーナと一緒に仕事をするようになりましたが、1年たった頃、殺人や強姦などの重い罪を犯した精神障害者の収容施設で仕事をすることになりました。

私の知人に精神衛生を扱う要職に就いている女性がいて、その施設に精神科医が居着かないので、私にやってほしいと相談があったのです。

私は心理学教育については十分な経験がありましたが、精神科医ではありません。心理学の専門家の教育が私の仕事で、患者の治療に携わっていたわけではないのです。

私はその女性に求められていることが私の本来の仕事ではないことを何度も伝えましたが、彼女は私に何ができるかよく知っていたので、そんなことは構わないので引き受けてくれと言いました。

私は施設に行かなくても収容者のリストだけもらえればクリーニングできると伝えましたが、個人情報は外部の人に出せないので、就職することを承諾してくれないと渡せないと言います。

彼女が何カ月もあきらめないので、私も根負けして就職することにしました。この仕事には、１９８３年から１９８７年までの５年間、従事することになりました。

施設に行ってみると、入り口にカメラがあって鍵を開けて入るようになっていました。そういうところを何重にも通らないと中に入れません。一度入ったら出られなくなってしまうのではないかと思うくらい厳重でした。

当時、その施設は満室でした。収容者のあいだで暴力が蔓延していて職員が暴行されるようなことも頻繁にあって、週に１、２回は大きな騒ぎが起きていました。施設内に入ったら、職員でも常に壁を背にしていないと危険なほどでした。

そのため、収容者が暴れないように、大量の薬を投与し、手錠と足枷でベッドに縛りつけるようなことが日常的に行われていました。施設の関係者の誰一人として、収容者たちを早く治して退院させようと考えている人はいませんでした。

収容者は、医師の診断書がないと、一歩も外に出ることが許されません。病状が落ち着いて刑務所や拘置所など、他の施設に移送されるときにも、手錠と足枷をつけられて護送されていきました。

私は、まず毎朝、出勤する前にクリーニングし、仕事をしているあいだもいろいろな問題が起きるのでずっとクリーニングを続けました。さらに、通勤する途中もクリーニングしていました。なぜ同じ人間なのに、こういうことをするのだろうと思ってクリーニングしつづけたのです。

モーナも、私と一緒になってクリーニングしてくれました。私の中で起きているさまざまなことを伝え、彼女は私が出勤しているあいだもクリーニングしつづけてくれたのです。

モーナの協力がなければ、成果が出るまでもっと時間がかかったと思います。

私は、収容されている人たちや看護師の人たちにいっさい指示したりしませんでした。

患者たちと直接話すこともしませんでしたし、なんらかのセッションを行うようなこともありませんでした。ただただ、収容されている人たちのファイルを見ながらクリーニングしつづけたのです。

収容者のファイルを見ているうちに、自分の体の内側に痛みを感じるほどになりました。これはすなわち、私が収容者たちと記憶を共有したということです。その痛みは、収容者に異常な行動を起こさせたプログラムそのものでした。そのプログラムを消去するために、私はクリーニングしつづけたのです。

平均７年収容されていた人たちが４、５カ月で退院していった

あるとき、身長が２メートル以上あって体重も１５０キログラムもある大男が私のところにきて、次のように脅しました。

「ヒューレン、俺はお前を殺すことだってできるんだ」

私は彼に、こう言いました。

「私は、あなたを殺す以上のことができるだろう」

自然にこの言葉が口を衝いて出たのです。

ふつうだったら、大男は私に対して暴力を振るうところだったかもしれません。しかし、彼は黙ってその場を去っていきました。

私が無事でいられたのも、クリーニングしていたからだと思います。そうでなければ、いま頃私はこの世にいなかったかもしれません。

私はクリーニングしつづけただけですが、何カ月かしたら、収容者が落ち着いて投薬の量を減らすことができるようになり、施設内を手錠や足枷なしで移動させることができるようになりました。

さらにしばらくすると、回復する収容者も出てきて、やがて4、5カ月で別の施設に移すことができるようになりました。

施設の雰囲気も大幅に変わりました。

以前は、退院するときには手錠や足枷をかけて移送されていったのですが、ふつうに出ていけるようになりました。収容者が穏やかになるとともに、テニスやジョギングなども許可されるようになりました。

それまで、１人平均７年も収容されていたのに、４カ月から５カ月で一般の刑務所に移せるまでになったのです。

その施設では、収容者１人に年間５万ドル（約５５０万円）かかっていましたから、出ていくまでに7年で35万ドル（約３８５０万円）かかるということです。そういう収容者が常時40人くらいいたのですから、とんでもないコストがかかっていました。

7年かかっていたのが4〜5カ月で病状が改善するようになり、１人当たり２万ドル（約２２０万円）以下ですむようになりました。

施設のスタッフたちも、危険でストレスの多い職場なので仮病をつかったりして休むことが多く、常習的な欠勤もみられましたが、収容者たちが落ち着いて手がかからなくなると、職員が多すぎるほどになりました。

また、その施設内では、どんな植物を植えても枯れてしまって育ちませんでした。さらに、誰もいないはずの真夜中にトイレの水が流れっぱなしになるようなことも頻繁にありました。その施設で亡くなった収容者の魂が、まだ自分は死んでいないと思ってその場に残っていたのです。

クリーニングして亡くなった収容者の魂がいなくなったら、トイレの水が誰もいないときに流れるようなことはなくなり、植物もきちんと育つようになりました。

絶対に症状が改善することはないと思われていた収容者も次々退院するようになり、私がその仕事を辞めるときには施設内の暴力は完全になくなっていました。最終的に、その施設の収容者は一人もいなくなったのです。

私はひたすらクリーニングをしつづけましたが、誰も治したり癒したりはしていません。ここが大切なところです。私の中にある記憶を手放しただけなのです。私が自分の中の記憶を消去した結果、収容されていた人たちが変わったのです。

100パーセント自分の責任と考えないと何ひとつ解決しない

精神障害の犯罪者の収容施設で成功したのは、結果がどうなるかなど考えず、ただクリーニングしつづけたからです。どんなことに関しても、すべての原因が全部自分の中にあると気づいて、クリーニングする人だけが、自分本来の生きる価値を取り戻すことができるのです。

潜在意識の記憶は、誰かがクリーニングしてくれると思って他人任せにしていると、いつまでも消えません。

この世の中には、4種類の人がいます。エニバディ（anybody）、エブリバディ（everybody）、サムバディ（somebody）、ノーバディ（nobody）の4種類です。

必ずやらなくてはならない大切な仕事があったとしましょう。

その仕事は誰でも（エニバディ）できるものでしたから、誰か（サムバディ）がやるだろうと思って誰も（ノーバディ）しませんでした。みんな（エブリバディ）誰かがやってくれるだろうと思っていたのです。

誰でもできることを誰もやらなかった結果、みんなが人を責めるだけで終わってしまいました。

このように、みんな自分の問題と考えないで、そのままにしてしまうのです。どこかで、100パーセント自分の責任だと考える人がいなければ、問題は何ひとつ解決しないのです。

私たちは、何か問題が起きたとき、国がいけないとか、政治が悪いとか、あいつが悪いとか、自分には責任がまったくないような言い方をしてしまいがちです。

誰でもできたはずで、これからでもできるのに、国が悪いから、政治が悪いから、制度がそうなっているから仕方ないんだとあきらめてしまうのです。これではいつまでたっても問題は解決しません。

これを多くの人たちに気づいてほしいし、一人ひとりが気づかないと、そのグループも、コミュニティも、国も、そして地球環境も、すべてダメになってしまうということを私は伝えたいのです。

自分の目の前にクリーニングする機会がきたときに、自分でクリーニングしないで、私には関係ないと言ってそのままにしてしまったら、あとで大きな問題が起きることになります。

自分が１００パーセント責任をとらないせいで、自分の子供、もしくは甥や姪、さらには孫、親戚の誰かがその責任をとらなければならなくなるようなことが起きるかもしれないのです。

病気や事故、さまざまな失敗や過ちは、こうして起きているのです。

私も世界中を講演やセミナーで回っていますが、何に関しても１００パーセント責任をとるということをしていかないと、私のミスによって孫や曾孫が大変な目に遭うことになるのです。

何が起きていてもその責任は100パーセント自分にある

このように、ホ・オポノポノで大切なのは、誰にどんなことが起きようと、100パーセント自分の責任だということなのです。

私は、ハワイでもっとも成功したといわれているビジネスマンのコンサルティングをしています。毎週1回、電話でアドバイスしていろいろなことを話すのですが、そのときに話す内容自体はまったく問題ではありません。私の中にあるものが大切なのです。

彼と約束した時間に電話がかかってくる前に、私は彼のことを思い浮かべながら、私の中で起きてくる感覚をクリーニングします。これで彼は、電話をしてくる前にもう悩みがない状態になっています。

このコンサルティングによって、彼は自信をもって新しい雑誌を発行したり、新しいプロジェクトを立ち上げたり、仕事を次から次に精力的にこなしていくことができるようになります。

　ですから私は、その人自身を見るのではなく、彼が悩みを抱えているようだったら、私の中にある何がその人に悩みを経験させているのだろうと考え、そういうところをただクリーニングするだけなのです。相手の悩みや苦しみの具体的な内容については、知る必要がありません。

　コンサルタントやセラピスト、カウンセラー、医師などは、クライアントや患者に原因があって、それに対してアドバイスしてあげたり、治療してあげようと思っています。自分の中にある記憶が患者の病気の原因だとは思っていないのです。

　このように人の悩みを引き受けてあげる職業についている人は、相手のものを背負ってしまい、病気になることがあります。たとえば、心臓内科の腕のいい医師は、60歳を過ぎたあたりになると、心臓の問題を抱えて亡くなることが多いようです。

　ですから、医師だからといって、訪ねてくる患者を全部治療しようと考えてはいけません。受け入れることのできる人と、帰ってもらわなければならない人がいるはずなのです。

　しかし、クリーニングしていれば、自分にふさわしい人だけが自分を訪ねてくるようになります。

以前、ホ・オポノポノのセミナーに精神科の医師が参加したことがありますが、彼はクリーニングしたら患者がこなくなって仕事がなくなると思っていたようです。しかし、これは杞憂に終わりました。

その医師は、短期間で治療の成果があがるようになって名医だと評判になり、いまでは週3日だけの診療で、かつて以上の収入が得られるようになっているそうです。

出発点は、すべて自分の責任として引き受けること

100パーセント自分の責任だということを納得してクリーニングしつづけると、問題は自然に解決してしまいます。どうしても自分を抑えられずに悩んでいたマリナさんの体験を紹介しておきましょう。

記憶が引き金となって生まれた現実を克服――私のホ・オポノポノ体験

マリナ・I・グエロさん

2004年当時、私は失職寸前でした。

素晴らしい仕事と、優秀なスタッフに恵まれていましたが、私はストレスが強くなったときや孤立感に駆られたりしたとき、とくにその二つが重なるとなおさら、スタッフに八つ当たりしてしまうのでした。

それまでも上司や部長に注意を受けていたのですが、とうとう停職処分寸前というところまでいってしまったのです。

EAP（従業員援助プログラム）でカウンセリングを受けるようすすめられ、アンガーマネジメント・クラス（怒りを抑えることを学ぶクラス）や指導力開発トレーニングを受けました。

しかし、どれも受けた直後は少しは効き目があるのですが、結局はまたぷっつりキレてしまうのでした。

私は1985年から、ホ・オポノポノを始めていました。しかし、「100パーセント自分に責任がある」というところで、いつもつまずいていました。ところが部長から

「改善がみられなければ、厳しい措置もやむをえない」と通告され、はじめて言われることがきちんと響いてきたのです。

それでもまだ、私は部長を非難したい気持ちでいっぱいでした。部長に対して、私の中ではいろいろな思いが渦巻いていたのです。

私は部長を敬愛のまなざし、すなわち神のまなざしで見る代わりに、記憶を通したまなざしで見ていました。記憶を通して眺めると、部長は最悪中の最悪な人でした。意地が悪く、社員同士で争うように仕向けたり、皆の前で恥をかかせたりするような人に見えたのです。

記憶による思いが引き金となって生まれた現実の中では、部長は人を陰で中傷する男女差別主義者でした。再生される記憶を通して見る彼の姿は、他人を犠牲にして自分の業績をあげる利己主義者でした。

私は、わかっていませんでした。現実だと私が信じていたものは、みんな私の思いでしかないのだということが理解できていなかったのです。私の目に映った部長の姿は、私自身の中にある記憶の反映にすぎないということを飲み込めていなかったのです。

自分の思いに対して１００パーセント責任をとろうとしないかぎり、すべての原因が自分にあるということは理解できません。

　自分以外に目を向けている私にはわからなかったのです。「１００パーセント自分に責任がある」というのは、すなわち自分自身を見るということなのです。

「厳しい措置もやむをえない」と通告されましたが、私はなんとしても自分の仕事を続けたいと思っていました。このときばかりは、自分でなんとかしなければならないと本気で受け止めました。

　私は、あらゆることに対してクリーニングを始めました。自分自身、それが何なのかわからなくてもすべてクリーニングしました。何か感情が湧き起こるたび、何か思いが浮かぶたびに、一つひとつみんなクリーニングしました。

　私のそのときの状況を生み出した原因となったあらゆるものに対して、とくに家族、親戚、先祖、上司や同僚、部下との関係について、またカウンセリングがあるときは、その前、カウンセリングの最中、またその後もクリーニングしました。

　何より重要なこととして、私が創造されたときまでたどっていくなかで仲間はずれにされたことと、私のウニヒピリ（インナーチャイルド）を自分の人生から閉め出したことに対するクリーニングをしました。

何カ月もクリーニングしつづけました。そのうち、部長に対する怒りが以前感じていたほどではないことに気づきました。前ほど孤立感もなくなっていました。

部下に、怒りをぶつけることもなくなりました。もちろん、怒りをぶつけなくなった理由として、これ以上キレたら仕事を失うことがわかっていたということもあります。

実際のところ、一番つらかったのは地道に努力してクリーニングしないといけないと思った瞬間でした。

つらい1年間ではありましたが、それまでなかったほど、絶え間なくクリーニングしつづけることができました。そして1年間やり遂げられたことが、その後もクリーニングを続ける弾みになりました。私はいったん調子づくと止まらないタイプなのです。

それから数カ月後、部長は転任になりました。信じられませんでした！

私が１００パーセント責任をとる決心をしたら、彼に対する私の課題は終わったかのようでした。彼はもう、私のところにいる必要はなくなったのです。任務終了です。

部長は自分自身を見ることを学ぶ機会を私に与えてくれたのだということが、クリーニングを通じて理解できました。もし、彼がいなかったら、私は自分に責任をとることはなかったでしょう。

部長がくれた贈り物には、素晴らしい価値があります。私は本当に感謝しました。さらに私は、部長が転任する前に、もう一つ感謝しました。自分に責任をもつことによって、より素晴らしい人間になるチャンスを与えてくれたことに感謝したのです。

部長がいなくなるなんて、夢にも思っていませんでした。

いま、私は神聖なる存在の思し召しのままの姿で部長を見ることができます。私や彼の記憶のレンズを通さない、神のお計らいどおりの素晴らしい存在として……。

いまでも時折、彼が転任することをはじめて聞いたときの感覚を思い出します。真っ黒な雲の合間からさっと光が射し込んだような気分でした。すべてが昇華され、私も、そして部長も自由になったのです。


マリナさんが抱えていた問題は、「100パーセント自分の責任」であるということでクリーニングするようになって解決しました。出発点は、すべて自分の責任として引き受けることなのです。

施設が荒れているのも、その原因はすべて自分の中にある

心理学では、カウンセリングにあたって、相談者が抱えている問題にどう対処するかを考えます。患者の中に問題があると考えるのです。

しかし、ホ・オポノポノでは、問題はあくまで自分自身の中にあると考えます。ですから、自分の中をクリーニングします。

原因は、すべて自分にあるのです。

もし、誰かの中にいやな部分、醜い部分を感じたら、それは、自分の中にもあるということです。自分の中のものをクリーニングして消去することができたら、その誰かのいやな部分、醜い部分も消えてしまうのです。

罪を犯した精神障害者の収容施設でのことを話すと、収容者にクリーニングの仕方を教えたらもっと早く解決したのではないかと言う人がいますが、私が自分の記憶をクリーニングして消去しないかぎり、収容されている人たちは自由になりません。

収容者の変化を感じた看護師や職員の人たちが、個人の悩みを私に相談しにくるようになりました。しかし私は、施設の関係者にクリーニングの仕方は教えませんでした。施設が荒れていた原因はすべて自分の中にあったからです。

それでも、たった一人だけ教えた人がいました。

彼は施設の職員ですが、彼が建物の中にいるだけで、収容者が静かになります。患者の脇の下を強くつねるからです。それがとんでもなく痛いので、収容者も怖くて騒ぎを起こさないのです。

その職員が、私がいるとき、やはり収容者が騒ぎを起こさないことに気づきました。そこで、私の方法を知りたいと言ってきました。

その職員は、ベトナム戦争で歩兵部隊の先頭を歩くポイントマンを務めていました。まさに、恐怖と隣り合わせの任務です。そのトラウマが、彼をとても冷たく厳しい男にしていたのです。

彼は精神的にもバランスを欠くようになっていて、パトカーを追い抜いては追跡させるような危険な遊びが病みつきになっていました。キレると理性を失い、その施設で勤務しているあいだにも、逮捕され服役したことがあったほどです。

彼は、自分のそうした性格で悩んでいました。私がホ・オポノポノで荒れる施設を改善しつつあるのを知って、彼は自分の感情もコントロールしたいと言いました。

彼がこのような生き方をしてしまうのも私の中に原因があるからなのですが、私は施設のことで精一杯だったので、彼にはクリーニングの仕方を教えたのです。

ホ・オポノポノを始めて、彼の性格はみるみる穏やかになりました。彼の変化は、看護師の人たちが驚くほどでした。

神聖なる存在のインスピレーションに従って生きていたモーナ

私は罪を犯した精神障害者の収容施設に勤務するかたわら、週末はモーナのセミナーの手伝いをしていました。

まだモーナが元気なうちから、一部のクラスは私がメインで入って、他のクラスはモーナがメインでというように、お互いに協力しながらＳＩＴＨホ・オポノポノの普及に努めていました。

しかし、彼女は何ひとつ私に教えるようなことはしませんでした。彼女がクリーニングすると、私には自然に次にやるべきことが見えてくるのでした。

モーナに関しては、不思議なことがいくつもありました。

たとえば、アリゾナに行ったときのことです。私が教える番で、彼女はいつものように後ろで目をつぶって座っていました。ふと気づくと、講義を受けている参加者の人たちの体が、みんな揺れているのです。

どうして、みんな同じように揺れているのだろうと思ってモーナを見たら、彼女が揺れていました。モーナの動きに同期するように、全員が同じように揺れていたのです。

また、モーナは独特の感覚をもった人でした。

あるとき、私のセミナーで質問がありました。

私は返答に窮し「どう答えていいかわかりません」と言ったのですが、後ろにいたモーナが突然目を開いて「それは、くだらない質問です」と言って、また下を向いてしまったのです。

私は参加者に合わせることを知っていますから、「はっきり答えましょうか。それとも遠回しに答えましょうか」とは言いますが、「くだらない」とは決して言わないようにしています。

また、ハワイ大学でのセミナーでは、こんなことがありました。

そのときはモーナがメインで講演をしていたのですが、参加者の質問に対して彼女は、「あなたは、過去世でワカメだったことがある」と言ったのです。

くだらないと思ったことや、ナンセンスなことに、モーナは決して対応しようとしませんでした。すべてインスピレーションで反応していたのです。

モーナは、本当に不思議な女性でした。でも彼女のクリーニングによって、私の人生が大きく変わることになったのです。

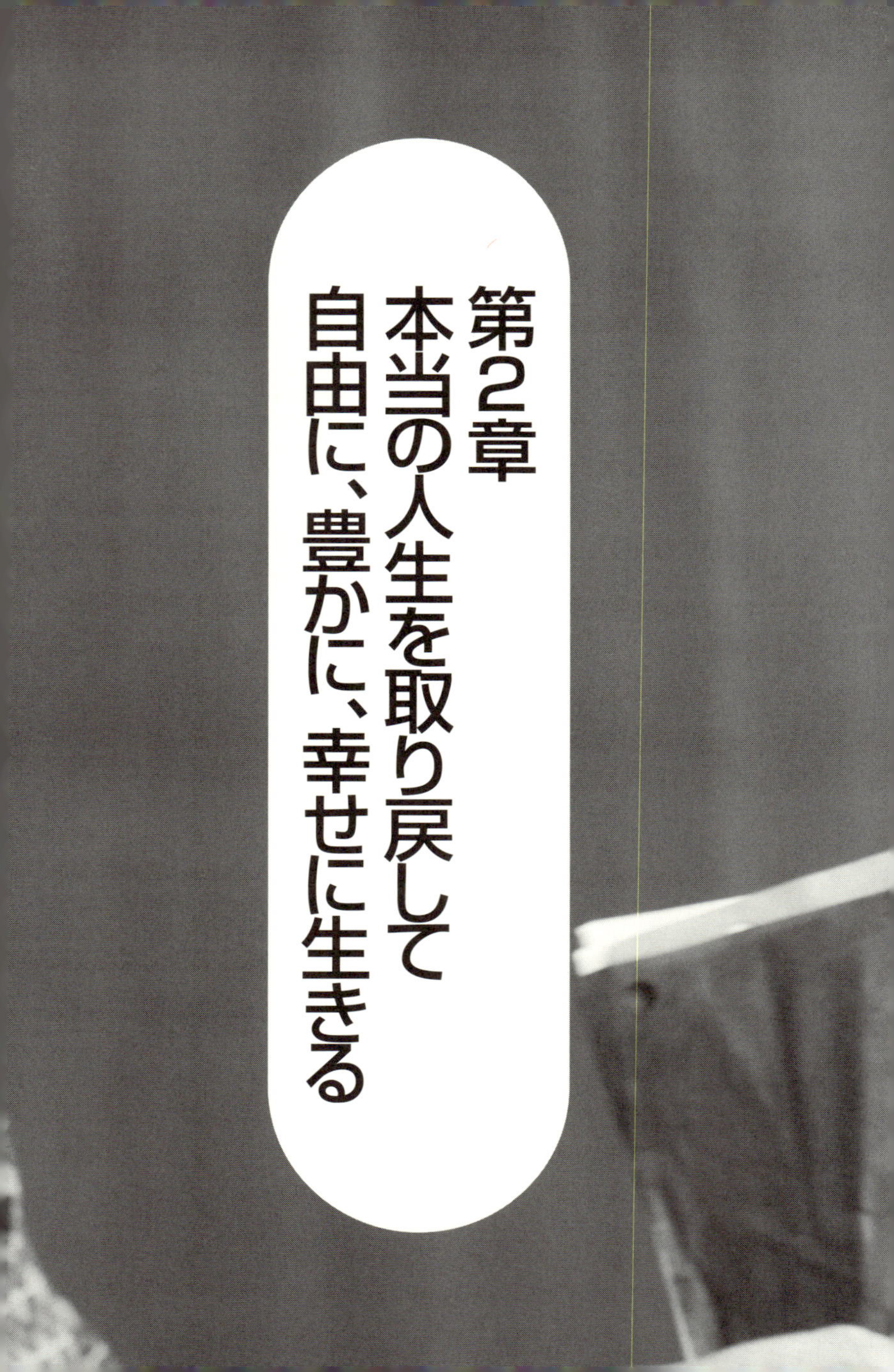

第2章 本当の人生を取り戻して自由に、豊かに、幸せに生きる

神聖なる存在からの光が届くようになっているのが本来の姿

般若心経に、「色即是空、空即是色」という言葉があります。これは、この世の中で認識されることはすべて「空（Void）」であるということを意味しています。

仏教では、「空」というのは悟りです。どんなことが世の中で起きていても、それらがすべて自分の中で起きているということが納得できて、そして自分の潜在意識から消去してしまえば、もうそんなことはなくなってしまうのです。

本来、私たちは、「空」であるはずで、ホ・オポノポノは私たちがもともともって生まれたゼロの状態に戻してくれるプロセスなのです。

仏教の「空」とは、何も見えない、何もないことを指します。私たちの潜在意識が何もない「空」の状態なら、私たちの意識の中を光が通ります。光は常に与えられているのですが、それをさえぎっているのが潜在意識の記憶なのです。

私たちが人生で経験するすべての問題や困難は、私たちの記憶が再生されることによって起きているのです。

ですから、ホ・オポノポノで潜在意識をクリーニングすると、「空」の状態になるので自然に光が通るようになるのです。そうなったら、神聖なる存在からのインスピレーションがさえぎられることなく届くようになります。

シェイクスピアの『ハムレット』の中で、主人公のハムレットは有名な一節「生きるか、死ぬか、それが問題だ」と言うほど悩んでいます。しかし、その独白の最後に、次のように語っています（シェイクスピア作／野島秀勝訳『ハムレット』岩波文庫）。

こうして、思い惑う意識がわれわれすべてを臆病者にしてしまう。
こうして、決意本来の生き生きとした血の色は
憂鬱な思いの青白い漆喰《しっくい》で塗りこめられ、
かくて意気軒昂《けんこう》たる大事な事業も、
そんな思いにわざわいされて流れを変え、
ついには行動の名を失ってしまうのだ……

この「思い惑う意識」「そんな思い」こそ、まさに記憶なのです。記憶が、「われわれすべてを臆病者にし」「決意本来の生き生きとした血の色は憂鬱な思いの青白い漆喰で塗りこめられ」「大事な事業も、そんな思いにわざわいされて流れを変え」「行動の名を失ってしまう」のです。

ですから、潜在意識の記憶を消去することができれば、ハムレットの言葉のように、人は勇敢に、大事な事業を成し遂げることができるのです。

人間は潜在意識の色メガネで世の中を見て生きている

もともと私たちは悟った存在で潜在意識の記憶も何もなかったはずですから、言葉もなく静かな存在であるはずです。しかし、現実には記憶が邪魔して神聖なる存在からの光が通らなくなり、記憶が再生されてしまいます。

私たちがほかの人に関して、記憶をもとに第一印象で勝手に解釈してしまうのもそのためです。記憶がないゼロの状態であれば、相手をまっすぐに見られるのに、どうしても記憶を通して見てしまうのです。

先に罪を犯した精神障害者の収容施設で仕事をした話を紹介しましたが、こういう人たちと接するときに「この男は、人殺しだ」と思っていたら、そういう記憶が壁となって、その人の本当の姿が見えなくなってしまいます。

精神障害のある犯罪者でなくても、この人はこんな仕事をしている、こんなことを言っていたことがある、こんな人だというデータが、その人に対する先入観となって、本来見るべきものを見えなくしてしまうのです。

そういった先入観は、自分でつくったもので、自分の記憶に基づく見方なのです。人間は、そういう色メガネで人を見ています。これは、病気にかかっているようなものなのです。

ですから、そういう記憶は手放してしまわなければなりません。このようにして記憶を「手放すこと」＝「クリーニング」するということです。

私たちには、そういう記憶の束縛から逃れて自由になるか、束縛されたままで困難な状況を我慢しつづけるか、選択の自由が与えられています。すなわち、ホ・オポノポノをするか、しないで生きていくかということです。

いい記憶であるか、悪い記憶であるかは関係ありません。常にクリーニングしていたら、プラスもマイナスもないのです。

仏教では、執着するなということを言います。執着を手放せば無になって、無になったときにはじめて悟りが得られるのです。

ホ・オポノポノとは、「いま自分が生きている世界を手放しなさい」ということなのです。それによって、はじめて本当の自由が手に入れられるのです。

神聖なる存在とともにあり、すべての責任は自分にある

次ページの図は、私たち一人ひとりの意識の構造です。

一番上にあるのが、命の源である「神聖なる存在（Infinite/Divine Intelligence）」で、これは本書の冒頭でも述べたように、神様とも仏陀とも、さらには最高神と考えてもらっても構いません。

ここで大切なのは、神聖なる存在が私たちの中にあるということです。

セルフアイデンティティ＝意識の構造

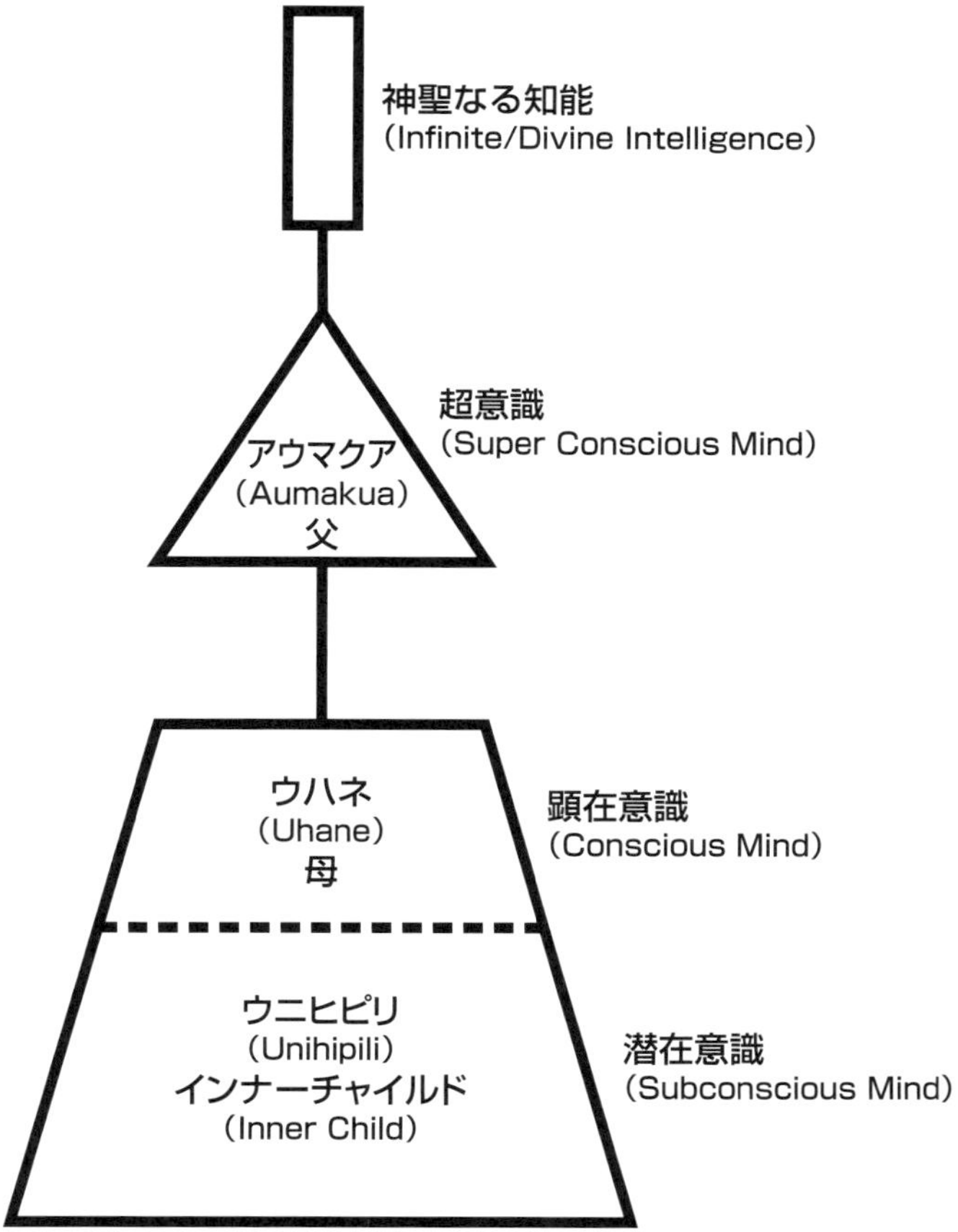
神聖なる知能
(Infinite/Divine Intelligence)
超意識
(Super Conscious Mind)
アウマクア
(Aumakua)
父
顕在意識
(Conscious Mind)
ウハネ
(Uhane)
母
潜在意識
(Subconscious Mind)
ウニヒピリ
(Unihipili)
インナーチャイルド
(Inner Child)

ですから、人を頼ったり、人のせいにすることはできません。

私たちの中に神聖なる存在があるのですから、人に助けを求めたりすることはできないのです。すべて自分で解決するしかありません。まさに、「すべての責任は自分にある」のです。

そして、潜在意識の記憶を消去することは、神聖なる存在にしかできません。

その下にある「超意識（Super Conscious Mind）」は、常に神聖なる存在と一体化していて、人間の潜在意識と神聖なる存在を結びつける役割を果たしています。

ハワイでは先に紹介したように、この超意識を「アウマクア（Aumakua）」と呼びます。「アウ（Au）」というのは「時空を超える」という意味で、「マクア（Makua）」は「神様」や「精霊」を意味します。まさに、一人ひとりの中にあって神聖なる存在と意識を結びつけているのです。

超意識には、潜在意識にあるような記憶も、表面意識にあるような認識もいっさいありません。

超意識は、潜在意識に対して父のような存在で、潜在意識から上がってきた情報や願いを神聖なる存在に上げるために整えてくれます。ここできちんと情報を整えてあげると、神聖なる存在は潜在意識の記憶を消去し、インスピレーションを降ろしてくれます。

その下が、「表面意識（Conscious Mind）」で、私たちが日頃、認識している心や頭の中の状態です。ハワイでは「ウハネ（Uhane）」と言い、潜在意識に対して母のような存在です。

さらにその下が、「潜在意識（Subconscious Mind）」で、ここのさまざまな記憶が私たちが神聖なる存在からインスピレーションを受けて本来あるべき生き方をするのを妨げています。また、ここのネガティブな記憶の再生が、さまざまな悩み、苦しみ、病気の原因となるのです。

ハワイでは、潜在意識を「ウニヒピリ（Unihipili）」と言い、「インナーチャイルド（Inner Child）」、すなわち「内なる子供」を意味します。

インナーチャイルドは、愛されずに育った躾のできていない子供のようなもので、高貴な存在ではあるのですが、病気や苦しみ、悩みなどのネガティブな記憶を増幅してしまうことがあります。

一番上の神聖なる存在から一番下の潜在意識まで、この全体が私たち一人ひとりのセルファイデンティティなのです。

人は記憶を消去しつづけるために、この世に生まれてくる

潜在意識では、常に膨大な記憶が立ち上がっています。

私たちが表面意識で考えていることが、たとえば1だとしましょう。そのとき、私たちを動かしている潜在意識の記憶は100万あります。1秒のうちに100万の記憶が立ち上がっているのです。

さらに、潜在意識の記憶はこの世の創世からの記憶にアクセスしています。

それだけ多くの記憶に動かされているのに、私たちはそれに気づくことができません。

私たちは、その気づかない記憶に乗っ取られて洗脳されているようなものなのです。

記憶には、いいものも悪いものもありません。すべて単なる記憶のデータです。

記憶の中には、素晴らしい出来事もまがまがしい出来事も、すべて含まれています。その記憶によって、私たちは行動してしまうのです。

私たちをコントロールしているのは100万のデータなのに、その100万分の1しか

私たちは認識できません。自分でわかって行動しているつもりでも、自分を動かしているものがどういうものであるか、本当はわかっていないのです。

人は生まれたときから、潜在意識の記憶をクリーニングするために生きています。潜在意識は膨大な記憶にアクセスしつづけているので、たとえ赤ん坊でも、過去の記憶と無縁ではありません。

人は、消去するための記憶を、潜在意識に膨大にためこんで生きているのです。

女性が妊娠する前から自分をクリーニングしつづけたら、自分にふさわしい子供を宿すことができます。胎児になる前からクリーニングすると、胎児も自分もクリーンな状態で子供が生まれます。

母子ともに記憶が完全に消去されていれば、つわりもなくてすむはずです。精子と卵子が受精するときにいろいろ摩擦があって記憶が生じるので、それがなければつわりはないはずなのです。

しかし、たとえ赤ん坊でも、まったく記憶が消去されたクリーンな状態で生まれてくることはまずありません。記憶を消去するために、私たちはこの世に生まれてきているからです。

記憶を消去する必要がなければ、そもそも私たちは生まれてきていないはずなのです。

悩みの内容はいっさい関係ない。ただクリーニングするだけ

ホ・オポノポノは、自分の潜在意識の記憶を消去して本当の自由を手に入れ、本来の姿、あり方を取り戻す方法です。これは、誰か別の人の悩みや苦しみを解決する場合も同じです。あくまでも、自分自身の中の記憶を消去するのです。

ふつうセラピストは、患者の悩みの内容を聞いて、その悩みに対処するアドバイスをしますが、ホ・オポノポノで悩みを解決するときには、悩みの内容はいっさい聞く必要がありません。

ただクリーニングをするだけで、相談やセラピーを受けにくる人の悩みや苦しみの内容は知らなくてもいいのです。たとえ知ったところで、表面意識の記憶の１００万倍もある自分の潜在意識の記憶のどこに、その人を苦しめたり悩ませたりしている原因があるか、わかりようがないのです。

悩みを抱えて相談にくる人と、本当は会う必要もありません。顔を合わせなくても、悩みや苦しみの内容がどのようなものであるか知らなくても、ホ・オポノポノではクリーニングできるのです。

実際には、相談者がくる前に、その人の名前を聞いただけでその人をクリーニングして準備しておきます。そして、私のその人に対する潜在意識の記憶がゼロになれば、その人の悩みもゼロになって消えてしまいます。

セラピーが上手くいかないのは、そのセラピーをする人自身の潜在意識の中にある記憶が消えないからです。相談しにくる相手の中に問題があると思って対処しているかぎり、真の問題解決は望めません。

ただし、ホ・オポノポノでクリーニングする場合も、セラピーを行っていくらかの対価をいただくわけですから、相談者がきたときには話を聞いたり、何かしているように見せます。

先に、相談者がセラピーを受けにきたときにモーナが話もろくすっぽ聞かないで部屋の中を歩き回っていたことを紹介しましたが、これはモーナがまったく気をつかわない性格だったからです。

ホ・オポノポノが潜在意識の記憶を消去するプロセス

ＳＩＴＨホ・オポノポノは、「悔悟(Repentance)」「許し(Forgiveness)」「変換(Transmutation)」の三つの要素から成り立っています。

悔悟は、ホ・オポノポノのプロセスにおいて記憶を消去するための最初の段階です。潜在意識の中の記憶が再生される責任を表面意識で認知し、悔い改めます。

許しをこうことも、悔悟と同じように潜在意識の中の記憶を消去するために不可欠です。表面意識は悔い改めるとともに、神聖なる存在に許しをこうのです。

神聖なる存在は、悔悟し許しをこう表面意識の願いを受けて、潜在意識の記憶を変換させて消去します。潜在意識の記憶を変換させることができるのは、神聖なる存在だけです。

潜在意識の記憶を消去し、神聖なる存在からインスピレーションを得て、本来の生き方を取り戻すプロセスは、具体的には次ページの図のようになっています。

記憶を消去しインスピレーションを得るプロセス

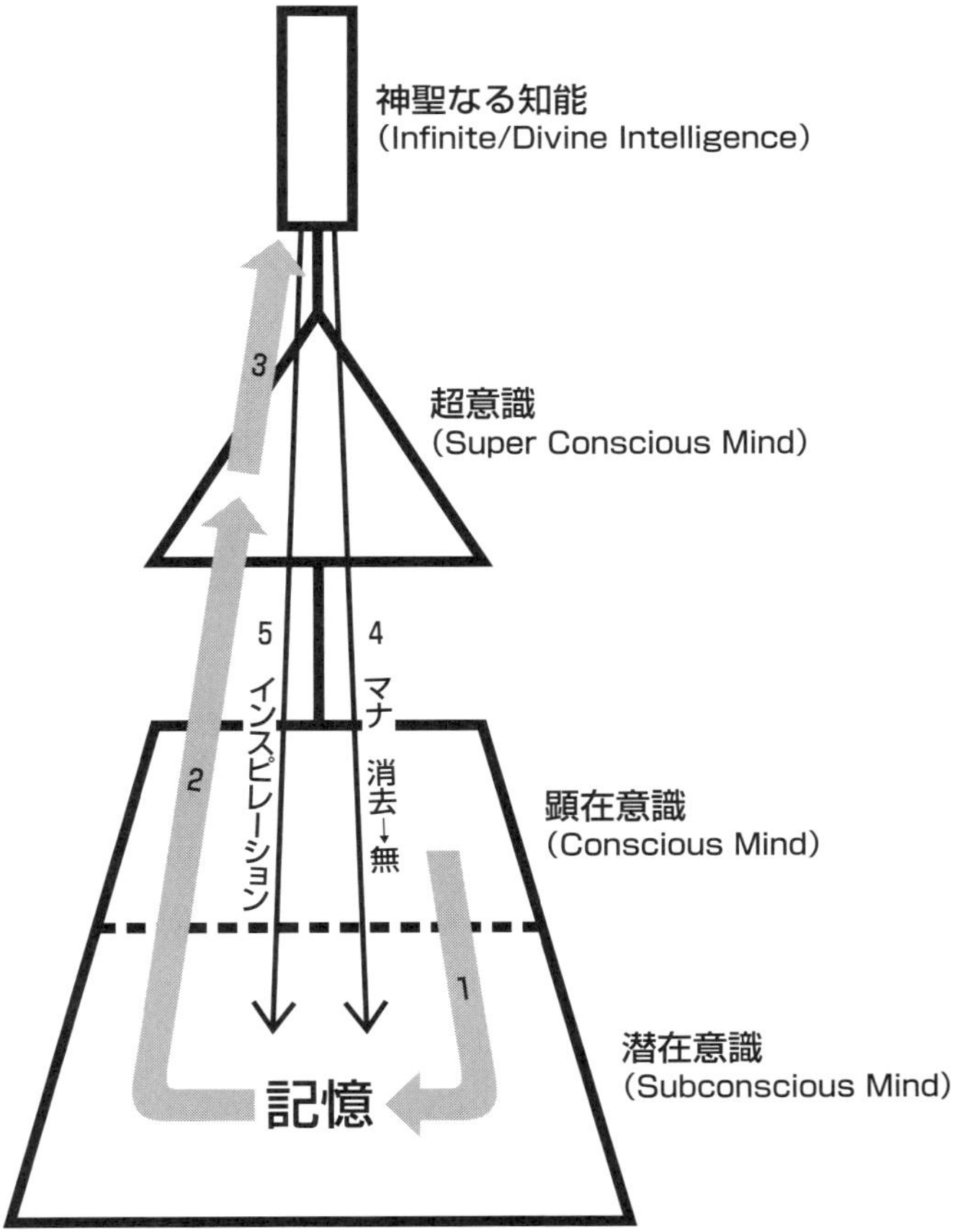

1．表面意識から働きかけて、潜在意識の記憶、すなわち自分のインナーチャイルドを慈しみ、記憶を変換に導く。
2．表面意識から働きかけた願いが、潜在意識から超意識に上っていく。
3．超意識は常に神聖なる存在と共鳴していて、潜在意識から上がってきた願いを整えて神聖なる存在に上げる。
4．神聖なる存在は、超意識から上がってきた願いを受け入れる。これにより、マナが超意識、表面意識を経由して降りてきて潜在意識の記憶を消去し、無にする。
5．潜在意識の記憶が消去されたら、神聖なる存在から、超意識、表面意識を経由して潜在意識にインスピレーションが降りてくる。
6．インスピレーションにより、知らずしらずのうちに本来あるべき正しい生き方をするようになる。

4の「マナ（Mana）」というのはハワイの言葉で、もともと「神様がもっている力」を意味します。これが、洗剤とたわしのように、潜在意識の落ちにくい汚れ、記憶を洗い流してくれます。

マナが潜在意識をきれいにしたところに、インスピレーションが降りてくるのです。一度、記憶を消さないと、インスピレーションは降りてくることができません。

その前提として、私たちの表面意識、潜在意識、超意識が〝三位一体〟にならないと、神聖なる存在にアクセスできないのです。そのためには、インナーチャイルドに愛の言葉をかけて慈しんであげなければなりません。

神聖なる存在から降りてくるインスピレーションは情報ですが、思考に基づくものではありません。インスピレーションが降りてきたときには、何も考えないでそうしてしまっています。

あとで、なんでこんなことをやったのだろうと思うようなことで、努力も何も必要ありません。

ただ流れに沿っているだけで、自分にとっても、さらにすべての存在にとっても、正しい行動をすることになります。その行動は、自分がそれまで思いもしなかったようなことかもしれません。

記憶に束縛されて生きるか、それともホ・オポノポノで本来の生き方を取り戻して記憶の呪縛から自由になるかは、自分の決意次第なのです。

動植物も物もすべてが悟った存在で意識をもっている

先に述べたように、記憶の束縛から逃れて自由になるか、束縛されたままで困難な状況を我慢しつづけるか、すなわちホ・オポノポノを実践するか、しないで生きていくかという選択権は自分が握っています。

ホ・オポノポノでクリーニングすることによって、木や土地があなたを愛しはじめ、周りの人たちがあなたを愛しはじめます。

先に罪を犯した精神障害者の収容施設での経験を紹介しましたが、血塗られた土地も一瞬で浄化されてしまいます。そして、それにかかわる人、建物、生えている植物まで変わりはじめます。

クリーニングを始めて周囲のものが自分を愛するようになったら、たとえば会社があなたに話しかけてきます。

「私たちはいま、こういう状態なんです。どうか私たちを自由にしてください」

というように、自然に会社の声が聞こえてくるのです。

自分の経営している会社を所有しているという考え方をやめて手放してあげたら、会社は勝手に売上げをあげてくれます。会社も一つの存在だからです。会社自体、悟っている存在なのです。

私がコンサルティングをしているクライアントが、土地を売りたいと考えていました。

彼は土地を売ることに執着していましたが、私は次のように言いました。

「土地を手放しなさい。そうしたら、その土地がもっともふさわしい次の所有者を自分でみつけてきます」

彼が土地を手放す覚悟を決めたら、すぐに次の所有者が現れました。私には、「この人に買ってほしい」という土地の声が聞こえたのです。

私たちを動かしているのは１００万分の１の記憶でしかないのですから、自分でどうしようなどと考えずに、手放すことを考えればいいのです。土地をはじめ、さまざまなものがそれぞれの意識をもっていて、私たちが所有していると思っていても、そういう意識までは管理できないのです。

自分でなんとかしたいと思ってできないことが、手放す覚悟さえすれば自然に買い手がみつかって、思った以上に利益が出たりするのです。

目に見えないエネルギー、バイブレーションを整える

自分の中をホ・オポノポノでクリーニングすることによって、素晴らしい仕事をしている建築家がいるので、ここで紹介しておきます。

彼の手になる建物は、施主の高い評価を得ていますが、それだけでなく、仕事にかかわるほかの人たちにもホ・オポノポノのいい影響が及んでいるようです。

私にも建物や土地の浄化ができた――私のホ・オポノポノ体験

遠藤亘さん

ある日、ネットサーフィンをしていたら、偶然、「世界一風変わりなセラピスト」という文字が目に飛び込んできました。

内容を読んでみると、次のようなことが書かれていました。

「私は、彼らをつくり出した自分の中の部分（パート）を癒していただけです」

それを読んだ瞬間、「みつけた！」と思いました。さらに読み進むと、決定的な言葉が出てきました。

「単にそれがあなたの人生に存在しているというだけで〝あなたの責任なのだ〟」

このヒューレン博士の言葉に、長年探していたものがここにあると直感しました。すぐに、ＳＩＴＨホ・オポノポノのベーシック１クラスの申し込みをしました。

２度目に受講したベーシック１クラスの１日目終了後、ヒューレン博士から、「住所がわかれば浄化ができる」とアドバイスをいただきました。そのとき、やはりここにあったと思いました。

私が長年探していたのは、私にもできる土地や建物の浄化方法でした。私の仕事の根幹にしたいと思っていたことでした。

私の仕事は、建築業です。住宅や店舗、ビルの改修工事などをおもな業務としています。いつも物質的なものを扱うその向こうにある、目に見えないエネルギー、バイブレーションを整えることができないかと、〝何か〟を探していました。

その〝何か〟が、ＳＩＴＨホ・オポノポノだったのです。

クラス終了後、学んだことをもう一度よく理解して、そこから自分の仕事のスタイルを完成させて仕事をしていこうと決心しました。

ベーシック1クラスが終わって三日後、長年、身体の調整をしていただいている整体の先生から連絡があり、今度、家を改装したいとのことでした。お伺いして詳しく話を聞くと、奥様が瞑想の先生をお呼びして毎月瞑想会を開いていて、その部屋を改装したいという依頼でした。

自分のスタイルはまだ完成していませんでしたが、尊敬する先生からの依頼でもあったので、毎日、自分の中をクリーニングしようと、さっそくとりかかりました。

ホ・オポノポノを始めて三日目、自分がすごく意気込み、「やってやるぞ!」という気持ちになっていることに気づきました。すごく力んでいました。

実は私が、土地や建物のエネルギーやバイブレーションを整えたいと思うようになったのは、この整体の先生の言葉がヒントになっていたのです、ヒューレン博士からのアドバイスをいただいたところで、尊敬する先生からの依頼があり、舞い上がっていたのです。

そこでまず、このやってやろうという私の意気込みをクリーニングしました。

もう一度、「誰が」しているのかをよく考えました。

私は何も知らない、力もない。でもただひたすらゼロに戻るために私の中をクリーニングしていれば神聖なる存在が必ずバイブレーションを正常な状態に戻してくれると信じ、工事が始まるまでの約50日のあいだ、ただ毎日、私の中をクリーニングしつづけました。

そして、工事は順調に進み、問題なく無事完了しました。私の中はいつもと違い、言葉では言い表せないものがありました。

今後、この方法にさらに磨きをかけて仕事をするぞという思い、より深い部分まで改善できたという手ごたえ、達成感、充実感、そして感謝の気持ちが湧いてきました。

工事終了後、先生の奥様から、「すごくよくなった。いいものができた」とほめていただきました。また、「工事にくる職人さんが、とてもよい人ばかりでよかった」とも言っていただきました。

工事内容だけでなく、私たちのチームがほめられたことに、さらに私の喜びは大きくなりました。

次の仕事は、ギャラリーの改装工事でした、もちろんホ・オポノポノをしました。

そのお客様にも、感謝の言葉をいただきました。「よいものができた。そして何よりきてくださる職人さんがよい人ばかりでよかった」というのです。

その次の仕事でも、出来上がったものと、職人さんのことをほめていただきました。ホ・オポノポノは人、もの、出来事、森羅万象すべてに対して有効であると確信しました。

まず、クリーニングします。あとのことは神聖なる存在に委ねればいいのです。

いま私は、人生が大きく変換したと感じています。ヒューレン博士に出会えて本当によかったと思います。そして、ＳＩＴＨホ・オポノポノに出合えてよかったと思います。

今後、私の人生に存在するものに対して１００パーセントの責任をもち、内側を見つめ、常にクリーニングしていきます。この出会いをくださった平良ベティーさんに、心より感謝いたします。ありがとうございました。

遠藤亘さんは、このほかにも体験談を寄せてくれています。これについては、付録でご紹介しましょう。

それ自体の意識に任せて執着を捨てれば、すべて上手くいく

先に土地や建物の例を紹介しましたが、これは会社も同じです。

人材不足で仕事が回らない、人を雇おうにも適当な人材がいないと悩んでいるとしましょう。

そういうとき、どうしても人を雇用しなければならないという執着を手放して会社を自由にしてあげたら、いまの人員で十分仕事が回って上手くいくことになったりするものなのです。

いまいる人たちの中から、思わぬ能力を発揮する人が出てきたり、自然に利益の出るシステムが出来上がったりするのです。

土地、建物、会社などは、それぞれ悟っている存在ですから、それ自体が何をしたらいいか、わかっているのです。

この世の中の存在は、人間だけでなく、ほかの動植物も、さらに小さな文房具やネジや

ピンの類まで、誰にも依存しないで自立しています。

ですから私は、自分の家や車、さらには冷蔵庫などにもクリーニングの仕方を教えています。

たとえば、車が故障したりするのは、自分の中の記憶がそうさせているので、自分の外では何も起きていないのです。だから車に何か異常があったとしたら、自分の意識と車がつながっていて自分の意識が投影されているのです。

しかし、自分の意識の中にある車の部分を手放せば、車はあなたとのつながりがなくなるので車自身がしたいことを始めます。

私たちがふつう意思をもたないと思っているようなものも、ちゃんと意識をもっているのです。

たとえば、万年筆があったとしましょう。

その万年筆のメーカーに借金があるとしたら、万年筆も借金の体質を受け継いで存在しています。借金まみれの体質の万年筆を会社でつかったら、今度は自分の会社に借金体質が投影されてしまうのです。

そういうとき、会社自体にクリーニングの仕方を教えておいたら、自分でクリーニングできるので、借金体質の万年筆ではなく、会社にふさわしい万年筆がやってくることになるのです。

私は実際に、罪を犯した精神障害者の収容施設に勤務していたときも、収容所の建物にクリーニングの仕方を教えました。これで、自動的にクリーニングが行われるようになったのです。

自分自身が変わらなければ、世の中は変わらない

先に、自分でどうしようなどと考えずに、手放すことだけ考えればいい、と述べましたが、自分に執着があるといい結果は出ません。

ハワイ州政府の文部省から、校長先生たちだけが集まる会議で講演してくれという依頼があったことがあります。

私はいつもどおり、講演の前にクリーニングを始めました。しかし、クリーニングしているうちに、私がどんなことを言おうとも、二度と校長先生たちの講演会には呼ばれない

だろうということがわかってしまいました。

どんなにクリーニングしても、校長先生たちは私の話に耳を傾けなくなるだろうということがはっきり見えてしまったのです。

ここが大切なポイントなのですが、ホ・オポノポノで何かをしようというとき、自分のための利益を考えてはいけません。自分のためではなく、みんなのために一番いいという視点から考えなければならないのです。

何かをしようというときには、なんらかの意図があるものです。しかし、こういう成果がほしいと考えること自体、コントロールすることになってしまいます。ですから、私は常にゼロに戻すことだけ考えるようにしています。

講演に行くと、２００～３００人もの校長先生たちがいました。

私は、ホ・オポノポノに関する30分の講演がもう1分で終わるというときに、「ああ、よかった。誰の質問もなしに終われるぞ」と思いました。

しかし、私が話を終えて退場しようとしたとき、一人の先生の手が上がりました。そのとき、この人の質問のお陰で私は二度とこの場に呼ばれることはないだろうな、と思いました。

その質問は、どうして教育に予算をとらないで犯罪者の矯正に予算をとらなければならないかということだったのです。

私は、クリーニングしました。そして、その質問に対するインスピレーションが降りてきたのですが、その答えは私にとって、口に出しにくいものでした。

「罪を犯して刑務所に入っている人たちは、あなたたちの学校の卒業生なのですよ」

これが、聞こえてきた回答だったのです。

私は、その言葉を口にしたら1回50万円のその講演の依頼が二度とこないことがわかっていましたが、言わざるをえませんでした。

私の中で起きている何が原因で二度とこの講演に呼ばれなくなるようなことを言わなければならなかったのだろうと思いましたが、クリーニングしたら、先の言葉を口にしたことに対する後悔はいっさいなく、気持ちよくその場を去ることができました。

世の中をよくしようと思ったら、自分自身が変わるしかありません。校長先生たちは、自分たちを変えなければならなかったのです。

しかし、私が二度と呼ばれないということは、彼らに変わる意思がないということです。

これでは、世の中はよくなりません。自分から変わらなければ、世の中は変わらないのです。

自分が思う結果に執着していると、いい結果は出ません。

こうなってほしい、ああなってほしいというのは自分の執着なので、それを手放してどっちでもいいというゼロの状態になったときに、本当に世の中にとって一番いい方向に物事が動きはじめるのです。

ゼロの場に立てれば、本来の姿、役割がまっとうできる

すべては、ゼロから始まります。最近の科学者の中にはゼロの中に永遠があることを突き止めている人たちもいますが、科学者は考えて答えを出そうとするので、考えた時点で記憶となってしまいます。

また、もし何か意図したり、こうしたいと思うのは、ゼロではないということです。潜在意識の中の記憶の再生が、欲望や願望となって表れているのです。

ですから、野球選手になりたいとか、宇宙飛行士になりたいとか、そういう目標があっ

たら、過去の記憶の再生による欲望なのでゼロではないということなのです。

ゼロの軸に立てば、努力などとは関係なく、起こるべきことが勝手に起きてきます。富をはじめとして、必要なものはゼロのところにしか本当はないのです。

自分自身の中にある神聖なる存在が、自分にとってもっともふさわしいものや人との縁をつくってくれて、必要な場所に自分を連れていってくれるのです。

私はこうなりたい、こうありたいというのは〝命令〟です。しかし神聖なる存在は、そんな小さなものより、もっと大きなものをあげたいと思っているのです。

仏陀は、「空」になったら悟りがあると言っています。ゼロになれば、必要なものはすべて与えられるのです。

でも、ゼロにならないかぎり、自分にとってふさわしいものが何かすらわかりません。たとえば、入学試験に合格したいという願望があったとしても、それが本当にその人のあるべき生き方に導いてくれるかどうかはわかりません。

私の知り合いに、年間50億ドル（約５５００億円）も60億ドル（約６６００億円）も稼いでいる人がいますが、その人は決して幸せではありません。その人は、欲望に心を乗っ取られているのです。

私たちが幸せに暮らしていくためには、1人100万ドル（約1億1000万円）から200万ドル（約2億2000万円）あれば十分です。そういう本当に満ち足りた暮らしを手に入れるためには、ゼロにならなければならないのです。

ゼロのところに立つことができれば、人間でも、物でも、動物でも植物でも、そのものの役割、本来あるべき姿をまっとうできます。

神を求めているなら、神はゼロになったところにいます。美しさを求めているなら、美しさもゼロになったところにあります。真実も芸術もここにあります。無限の豊かさもあります。

本書の冒頭で述べたように神聖なる存在は創造主なのですから、その存在にもっともふさわしいこと、もっとも幸せになる方法を知っているのです。もっともふさわしい配偶者、もっともふさわしい仕事、もっともふさわしい家……、全部知っています。

それを妨げているのが、私たちの思考、記憶なのです。

本当にクリーンな状態になったら、欲望もなければ未来もありません。ほかの人との境界もなくなってしまいます。本当にゼロの状態になったら、すべてが家族のようになります。

これがいわゆる「ワンネス」ということです。未来を想像しただけで記憶の世界に入ってしまうことになるので、時間も何もない状態です。

すべてがゼロになったら、争いもなくなるし、恨みや妬みもいっさいなくなります。

ただし、私自身、自分がゼロの状態になっているかどうかわかりません。ですから、ゼロの状態になることより、一瞬一瞬クリーニングしつづけることのほうが大切だと思っています。

なんの努力をしなくても自然に特別な能力が開花する

ＳＩＴＨホ・オポノポノで潜在意識をクリーニングしつづけて、ゼロの場に立つと、神聖なる存在からのインスピレーションが降りてきます。

こういう状態になると、なんの努力もなしに本来その人がもっている能力が発揮されるようになります。まさにインスピレーションが降りてくるのですから、努力も工夫もまったく必要ありません。

ハイドンやベートーベンなどとともに古典派と呼ばれるオーストリアの天才音楽家、ウォルフガング・アマデウス・モーツァルトは、葉の落ち方にも音階を感じて作曲したといいます。

自分から何か積極的に働きかけたりする必要はなく、自然に才能が発揮できる場が与えられるのです。これが、本来のあり方なのです。

また、アメリカのゴルフプレイヤーのタイガー・ウッズは素晴らしいゴルフの才能を授かっているので、ふつうの人がやるような練習をしなくても、しっかり成果を出すことができます。

前々回、日本にきたとき、大本教の出口王仁三郎さんの曾孫の出口鯉太郎さんを京都にお訪ねして、焼き物をさせていただきました。

出口さんは有名な陶芸家であるだけでなく素晴らしい目利きで、作品がたくさん並んでいる中で、これが賞をとるとか、これが売れるとか、そういうことが全部わかるというのです。こういったことも、神聖なる存在からのインスピレーションがあればこその能力だと思います。

そして、このような能力を発揮するのは、何も難しいことではないのです。

たとえばカメラマンが、「愛しています」と言ってカメラに話しかけてあげたら、自分でどんなアングルがいいかなどということを考えなくても、勝手にカメラが動いてもっともいいアングルを向いてくれるようになります。

カメラマンと芸術家の違いは、ここにあるのです。努力などとは関係なく、神聖なる存在とつながったとき、才能は開花するのです。

そのためには、常にクリーニングしつづけなければなりません。

どんなレシピがいいか、食材自身が教えてくれる

シェフ、企業家、フードライター、食品会社経営で大成功を収めているグローハワイ社長のオリロ・パア・フェイス・オガワさんが、きわめて自然にアイデアが湧き、才能が自然に開花することが実によくわかる体験談を寄せてくれているので、ここで紹介しましょう。

新しい発想がすっと湧いてくる――私のホ・オポノポノ体験

グローハワイ社長
オリロ・パア・フェイス・オガワさん

私の友人のダン・カニエラ・アカカ・ジュニアは、ハワイの文化人類学者です。彼は、万物に生命が宿っているという考え方のもと、折にふれて土地の祝福（土地に祈りを捧げること）を行っているそうです。

岩石、土地、食べ物など、あらゆるものに生命があります。私はクリーニングを始めるまで、ダンがなんの話をしているのか、よくわかりませんでした。

しかし最近、食べ物、土地、車など、多くのものが私に話しかけてくるようになりました。頭がおかしくなったのではないかと思われそうですが、実際にこの経験をした者にとっては自然なことです。

農場や養殖場に農畜産物を仕入れに行ったときや魚介類を仕入れに行ったとき、私はそこにいる人々、土地、建物などをクリーニングします。食材をキッチンに運び入れたときには、一つひとつの食材を手にとり、高価な宝石を見つめるようにじっと眺めます。

そして、「愛しています。ありがとう」と語りかけます。時には、私の目から涙がこぼれ落ちることもあります。いつもこうするたび、私は敬虔な思いに満たされ、瞬間ごとに訪れる美に圧倒されます。

私は、「あなたたちはいまから、本当に特別なイベントのためにお料理になるのよ」と食材に語りかけます。それを聞いて食材たちははしゃぐこともあれば、静かになることもあります。

常に新しいレシピを創作しつづけてきましたが、まったく苦しい思いをせずに、新しい発想がすっと湧いてきます。時には食材のほうから私に話しかけ、どんなレシピがいいか教えてくれます。

キッチンでは、調理器具、鍋、包丁、ガス台やオーブンなどもクリーニングします。どの道具もみんな私にやさしくしてくれて、故障して困らせたりしません。みんなとても長持ちしてくれます。

私の料理は、まるで食材や調理器具とのダンスのようなものです。調理にとりかかるときに、いつもかける大好きな美しいハワイの音楽に乗って彼らと踊るのです。

私は自分の仕事を愛し、料理という私からの贈り物を、お客様や友人や地域のイベントに集まる人たちに味わっていただくことに、大きな喜びを感じています。

私にとって、これは単なる職業ではなく、クリーニングする貴重な機会であり、この人生の目的ともなっています。目的をもつということは、自由になることなのです。

オガワさんは、大変な苦労をしましたが、インスピレーションにより現在の成功を収めました。ここでは素晴らしい才能がどのように発露するものか、彼女の体験談から抜粋しましたが、本書の付録ではそのほかのことに関する彼女の体験を掲載したので、参考にしてください。

あるがままに受け入れて生きれば病気になることはない

人は、あるがままに受け入れて生きていれば病気になることもありません。しかし、さまざまな記憶に閉じ込められていて、ああでなければならない、こうでなければならないという生き方をしてしまうのです。

こういう生き方をしていると、最終的に病気になってしまったりします。あるがままに生きていれば、本当は病院も医師も必要ないのです。

ある女性が育てていた木が、枯れてしまいました。この女性は、水やりを忘れることなく続け、必要な肥料をきちんと与えていたと言っていました。

しかし、私がその木がある場所を聞いて木に話しかけてみたら、次のような返答が返ってきました。

「水が多すぎておぼれそうだ」

「肥料には燃える成分が入っているので、とても苦しい」

そのことを彼女に話して、水も肥料も控えるようにしたら、木は勝手に元気になって蘇りました。

私たち人間は、木が本来もっている生命力より、私たちの知識のほうがすぐれていると思い込んでいますが、これが間違いなのです。

木に対して、こうして育つはず、こうして育たなければならない、と自分たちの記憶をもとに強制しているのです。これでは、木も具合が悪くならないはずがありません。

人間は、こんなトンチンカンなことをしているのです。

たとえば、盆栽は、その代表例といっていいでしょう。枝をねじったり剪定して縮めたり、自由にのびのび枝が伸ばせないようにして、自分たちが勝手に考えた理想の形に無理に押しこめようとします。自然の流れを無視して、強制するのです。

こういう不自然なことは盆栽自体にとって不幸なことですが、そんなことをする原因は盆栽を楽しんでいる人の中にあります。

盆栽を趣味にしている人は、関節炎になっていることが多いようです。植物をあるがままにせず、強制しているために、その対象を歪めてしまっているだけでなく、自分自身もその記憶の投影で病気になってしまうのです。

ほかの人が病気になる原因も、すべて自分の中にある

私のもとには、病気で悩んでいる人もセラピーを受けに訪ねてきます。

誰かが病気で困っているとき、私は次のようにします。

「本来完璧な状態の人なのに、自分の中の何がその人に病気として表れているのか」と考

えて、その病気に関する私自身の潜在意識の中の記憶の部分をクリーニングします。まず自分の神聖なる存在に原因となっている記憶をインスピレーションで教えてもらい、私自身の潜在意識の記憶をクリーニングするのです。

自分の表面意識や潜在意識の記憶から答えを見出そうとしても、記憶からの答えしか得られません。言い訳のようなものです。その原因をつくった大本の神聖なる存在のインスピレーションがなければ、本当の原因はわからないのです。

あるとき、腰が悪いという女性が私を訪ねてセラピーを受けにきたことがあります。

私はいつもするように、私自身の潜在意識の中にある「この人は腰が悪い」という記憶の部分をクリーニングして消去しました。そうしたところ、「この人は本当は腰が悪いのではなく、左の足の甲が悪いから腰に表れている」というインスピレーションが降りてきました。

そこで私は、「医者に行って腰ではなく足の甲を診てもらうように」と、その女性に伝えました。そのあと実際に彼女が医者に足の甲を治療してもらったところ、腰はすっかりよくなったそうです。

その女性は、腰や足の甲の問題で私を訪ねてきたのではありません。私の潜在意識の中にその人に痛みを感じさせる原因となっている記憶があったので、それを消去するために、私のもとを訪ねてきたのです。

この女性は、私がクリーニングしなければいけない存在なので、私の目の前に現れることになったのです。

人を癒したり、何かを変えたりするにあたって必要なのは、あくまでも自分自身の潜在意識の中の記憶のクリーニングです。そういう病気などを引き起こしている自分自身の記憶を消去するしかないのです。

そして、そういう記憶は、私たち一人ひとりの中にあります。すべての人の記憶からその病気がなくなったとき、そういう病気はなくなることになります。

体から魂が抜け出すことが精神的な障害の原因だった

日本では、うつ病をはじめとする精神疾患が増えていますが、このような精神が病む病気は魂と関係があります。

人の魂は、表面意識と潜在意識の中にあります。ところが、それが抜け出てしまうことがあって、それが精神障害の原因になっているのです。

たとえば交通事故などにあって重傷を負ったような場合、あまりに痛みが激しいと魂は肉体にいられなくなり、肉体を抜け出て天上に行くことになります。そのまま肉体が停止してしまったら、魂は帰るところがなくなってしまいます。

もし、同じ状況で肉体は停止しなかったとします。肉体が回復して退院しても、魂はまだ天上にいます。そういうとき、魂のない肉体が地縛霊に乗っ取られてしまうことがあります。

このように、現実世界ですごく苦しかったり、悲しかったりすると、魂が肉体にいられなくて抜け出てしまうことがあるのです。うつの状態になって、魂が出ていってしまうのです。

そうなると、その人はいつも寝ていたり、集中できなかったり、生きている感じがしなくなります。最終的には、自殺願望にとらわれることになります。

精神病院などのそううつ病の人たちが入院している病棟に行って患者の目を見ると、瞳に命が宿っていないことがわかります。

目の内側、目頭のところに白く三角形になっている部分がありますが、魂が体から抜け出ていると、この三角形の部分がなくなります。この白い部分がない人は、精神障害などの病気があることが多いのです。

そういう人は、浮遊霊や地縛霊に肉体が乗っ取られている状態なのです。

そういうとき、ホ・オポノポノを実践すると、また魂が肉体に宿るようになります。

自分自身の潜在意識をクリーニングすることによって、魂を肉体に戻してあげることができるのです。自分の中で何が起きていてその人をそうさせているのかと、クリーニングしてあげれば、魂が戻ってきます。

潜在意識を迷わせる名前が精神疾患の原因になっている

子供の名前のつけ方がよくないことが精神疾患の原因になっていることもあるので注意が必要です。建物でもなんでも、名前はとても大切なのです。本人が求めない名前をつけると、何をやっても上手くいきません。

シアトルにいたとき、あるお母さんから電話がありました。娘が慢性うつ病と診断されたというのです。

私はまず、私の中の何が原因でその娘さんが慢性うつ病と診断されることになったのだろうと、神聖なる存在に聞きました。すると、「娘は間違った名前をつけられている」という声が聞こえました。

そこで私はお母さんに電話で、「娘さんの名前はどこからきたんですか」と聞いてみました。お母さんは、次のような話をしてくれました。

「娘が生まれたとき、父方と母方のそれぞれの父母にとって初孫だったので、双方につけたい名前がありました。それで板挟みになってしまった私は、父方と母方の父母の名前を半分ずつとって命名したのです」

そのとき、私には「その子の名前はマウヒアだよ」という神聖なる存在の声が聞こえてきました。「マウヒア」には、「平和」という意味があります。

続けて神聖なる存在は、「お母さんが正しい名前を聞くまで、こちらからは言ってはいけない」と言いました。

お母さんは、正しい名前を聞かなかったので、私は言いませんでした。もし、マウヒアに改名したら、間違った名前の記憶は消去され、慢性うつ病も改善したと思います。

「聞くまで、こちらから正しい名前を言ってはいけない」という神聖なる存在からの言葉には、何か意味があったのでしょう。

これは二つの名前を半分ずつとって名づけた例ですが、名前にあまりにも多くの意味をこめすぎてもよくありません。

このように、人の名前は当然のこと、会社の名前やビルの名前なども、きちんとした名前をつけないと、上手くいかないのです。潜在意識が迷ってしまうような名前はよくありません。

うつ病などの精神疾患に対処する「メビウスの輪」瞑想法

前項で述べたような問題を解決する方法の一つとして、瞑想があります。その方法を紹介しておきましょう。

1.「インフィニティ」と、神聖なる存在に呼びかけて瞑想を始めます。
2.メビウスの輪をイメージして、問題となっていることやものをその中心にすえて瞑想します。
3.瞑想をしていると、神聖なる存在がメビウスの輪の上を回りながら、必要なものをすべてクリーニングしてくれます。
4.これで十分というまで神聖なる存在が記憶をクリーニングし終えたら、それまでメビウスの輪の上を回っていたのが自然に止まります。

「メビウスの輪」は、無限に続く面をもっています。テープを1回ひねって両端をつなげて輪としたもので、テープの平たい面が永遠に続くようになっているのです。

まさにメビウスの輪は、始まりもなく終わりもない永遠のシンボルです。そういう意味では、ゼロと同じです。

このようなメビウスの輪をイメージして瞑想すると、永遠の一部として深い瞑想に入ることができ、素晴らしい経験ができます。

この瞑想は、やろうと思ったらいつでもできます。

自分の子供がうつ病などの精神疾患で悩んでいたら、メビウスの輪の真ん中に自分の子供をイメージするのです。

実際に子供の精神疾患で悩んでいる方はよく知っていると思いますが、魂がいなくなった肉体はとても苦しんでいます。この瞑想でクリーニングしてあげると魂がもとの肉体に戻ってくるので、すぐに楽になります。

子供や自分の近親者の精神状態で悩んでいたら、ぜひこの瞑想をやってみてください。

ホ・オポノポノが高血圧の治療に顕著な効果を表した

精神疾患だけでなく、潜在意識の中の記憶が現実の世界に投影され、さまざまな病気の原因になっています。ですから、病気の原因となっている記憶を消去すれば病気も治ります。

実際に、キキパ・クレッツァー博士たちの研究で、高血圧の治療にＳＩＴＨホ・オポノポノが効果のあることが証明されています。

キキパ博士たちの研究に関する論文は、２００７年9月に発行された『Ethnicity & Disease』誌の第17巻4号に「高血圧症の管理のための補助的治療としてのＳＩＴＨホ・オポノポノ(Self Identity Through Ho'oponopono as Adjunctive Therapy for Hypertension Management)」というタイトルで掲載されました。

高血圧症（高血圧症、高血圧前症）の23人のアジア人、ハワイ人、そして太平洋諸島系民族の人たちに、通常の高血圧症の治療をしながら、ＳＩＴＨホ・オポノポノの半日学習コースを受講してもらったのです。

研究対象の参加者は、チラシ配布、市民集会、インターネットなどで広く募集しました。参加者全員30歳以上で、50歳以上が83パーセントを占めました。23人のうち8人が高血圧前症または高血圧症のほかに糖尿病で、二人は喘息の既往がありました。

ＳＩＴＨホ・オポノポノ半日学習コースでは、ディスカッション、対話による問題解決、問題解決までのプロセスや方法についての分かち合い、質疑応答などの講義を受け、呼吸法や祈り、瞑想など簡単なプロセスを学びました。

4時間のコースでしたが、ホ・オポノポノを自分の生活に活かすかどうかは受講者の任意の判断に任せました。

その結果、受講の2カ月後、最高血圧は平均11・86mmHg、最低血圧は平均5・44mmHg低くなったのです。

ちなみに、この研究は、ハワイ大学の施設内治験審査委員会で承認されています。研究を終えたクレッツァー博士たちは、論文のまえがきで次のような結論を述べています。

「SITHホ・オポノポノのプロセスは、生活に簡単に取り入れることができ、低コストで、内容を理解しやすく、肉体的、社会的なリスクも伴わない。また高血圧だけでなく、他の健康状態にも有益な効果をもたらすことが期待できる」

私たちが実際に行っていたことが、証明されたのです。

ほかの病気についてはこれからおいおい研究の対象となるでしょうが、数値でSITHホ・オポノポノの効果が示されたことに大きな意味があります。

実際の臨床でも成果があがりはじめたホ・オポノポノ

実際の臨床の場で、SITHホ・オポノポノの効果を実感している医師もいます。私のセミナーに参加して以来、クリーニングを続け、それとともに患者が治る例を目の当たりにしたそうです。

石川医師が、ご自身の体験を寄せてくれたので紹介しておきます。

もっとも難しい患者さんが回復――私のホ・オポノポノ体験

医療法人 聖岡会 新逗子クリニック
石川眞樹夫さん

私は26歳で内科医となり、今年で20年目になる臨床医です。医学部を卒業して以来、ただひたすら臨床医としての道を歩んできました。「患者さんの回復を少しでも手助けすることができるか否か」、そのことだけを人生の一大事として追求してきました。

医師になって5年目までは、がんは不治の病だと思っていました。しかし、30歳過ぎにホスピス医として仕事をしていたときに、「西式（甲田式）食養生」で骨転移のある乳がんを治した患者さんに出会い、がんでも治る可能性があると理解するチャンスを得ました。

その直後にバッチフラワーレメディという自然療法に出合ってこの道を深め、さらに

40歳を過ぎてから、江戸時代の易聖、水野南北師の相法極意修身録と、吉祥寺の小児科医、真弓定夫先生を通じて食養生を学び、41歳からの5年間はルドルフ・シュタイナーが提唱した、拡大された世界認識に基づく「アントロポゾフィー医学」を学びました。

42歳の頃には、末期がんの患者の会であるＮＰＯ法人、いずみの会に参加し、後天性の身体疾患なら、がんを含むほとんどすべての疾患の治癒が可能であるという見込みを得ることができました。

それでも、人間の苦しみの極みに存在すると思われる人格乖離や統合失調症、自傷行為など、深く苦しい心の病を日々の臨床で回復に導くための十分な理解と方法を見出すことができないまま、私は２００７年に45歳を迎えました。

けれども私には、その前の年から一筋の希望が見えていました。

その希望こそ、ホ・オポノポノでした。

身体疾患の原因把握と対応の方法をひととおり学び終えた２００４年以後、私は「スピリチュアル尺度研究会」という学際研究会に所属していたのですが、その研究会で副会長を務めていた方から、ジョー・ヴィターリ氏が書いた、「ハワイの奇跡のヒーラー」の噂話を教えていただきました。

私はその噂話の真実性を追求しようとインターネットの海を探し歩き、間もなく彼の著書、『Zero Limits』（その後、翻訳されて日本では『ハワイの秘法』のタイトルでPHP研究所より発行）にたどり着きました。当時、この本はまだ英語版も発行されていませんでしたが、私はすぐにアマゾンに予約注文をしました。

それ以後、私はヒューレン博士に会って教えを請いたいという強い想いを抱き、日々過ごすことになりました。

この私の願いの裏には、私が毎週お会いする何人もの精神科の患者さんたちの存在がありました。3年、4年と通院していただいても、なかなか改善がみられない難しい病状を抱えた患者さんたちです。それでも患者さんたちは、私の治療に希望と期待を抱いて通ってくださっています。

私は、可能なかぎり西洋薬をつかわないで、それでもつかえるありとあらゆる方法を用いて彼らを癒すお手伝いをしたいと思い、彼らの回復に向けて一緒に頑張ってきました。だからこそ、私はヴィターリ氏が書いた文章を読んですぐに、ヒューレン博士のしたことが本物だと理解できたのです。

そして、癒されるべきは自分自身だということがわかり、さらに2007年11月24日のセミナーに参加して確信を深めました。あとは、クリーニングあるのみです。

　２００８年になって、私自身ほとんどあきらめていた自分の中のある課題をようやく癒すことができました。その課題に関する記憶の再生をゼロにすることができたのです。

　すると、どうしてなのかはわかりませんが、この数年、私の患者さんたちの中でもっとも困難だった方が回復に向かいはじめたのです。

　いまやその方は、〝治った〟状態です。ふつうの医師からみれば、明らかに〝奇跡の回復〟でしょう。

　いま、私には確信があります。そう、私が自分自身を癒すことこそがすべてだという確信です。「癒す」などという言葉より、ただただきれいにする、クリーン＆クリーンと言ったほうがいいかもしれません。なんと、シンプルなのでしょう。

　それでも、この道は修練を要する道です。私はいにしえの仏陀の教えに従って、たゆまずクリーニングの精進を行い、記憶の再生を消し去り、日々、ゼロであり空である私たちの源へと帰り着くのです。

今後、いろいろな人たちが、ホ・オポノポノを医療に取り入れてその成果を発表してくれると思います。これまでは、ハワイの人たちの体験でしかなかったものが、科学的にその効果を証明されることになるのです。これからが楽しみです。

第3章
潜在意識をクリーニングしてあるがままに生きる方法

もっとも大切なのは無になること、ゼロになること

私は潜在意識をゼロにして本来の生き方を取り戻してもらうために、いま使命を感じて活動しています。

幸いＳＩＴＨホ・オポノポノに大勢の人たちが関心をもってくれるようになりましたが、人間として一番大切な〝自分が誰であるか〟ということについては誰も質問しません。

みんなお金儲けのことや、どうやって生きていこうかということに意識を集中していて、一番大切なことに気が回らないのです。

日本人は仏教について知識があると思いますが、仏教にも核となる教えとあまり重要でない周辺の部分があります。

仏教でもっとも大切な核となる教えは、どうしたら本当の自由が得られるかということです。すなわち、無になるということです。ほかの部分は付け足しにすぎないといっていいほどです。

ゼロになるということは、日本人もハワイ人も、アメリカ人も、人種は関係ないということです。もともとゼロなのですから、一つだということです。すなわち、全員がつながることを求めているのです。

なぜそうなのか、どうしてか、などというのはどうでもいいことです。どうやって手放してゼロになるか、自由になるかということが問題なのです。

そして次に大切なのは、問題がどこからきているかということです。まだほとんどの人が、問題が潜在意識の中の記憶の再生によって引き起こされていることに気づいていません。

そこまでわかったら次に大切になるのは、その記憶をどうやって消去するかということです。

たとえば、心臓に問題を抱えているとしましょう。

このようなときは、まず心臓に問題を起こしている潜在意識の中の記憶に対して「見せてくれて、ありがとう」と感謝することです。

心臓病だったりすると、それを引き起こしている記憶に抵抗したり、嫌悪したりしてしまいがちですが、そうすると問題が拡大していきます。

ですから、「病気として見せてくれて、ありがとう」「いま、表れてくれてありがとう」と感謝するのです。すると、心臓に問題を起こしていた記憶が消去されます。

潜在意識をクリーニングするホ・オポノポノの方法

ホ・オポノポノでは、次の四つの言葉をとても大切にしています。

ありがとう（Thank you.）
ごめんなさい（I'm sorry.）
許してください（Please forgive me.）
愛しています（I love you.）

これらの言葉で、インナーチャイルドに語りかけるのです。すなわち、潜在意識の中の記憶に感謝し、インナーチャイルドを慈しむのです。

しかし、難しく考える必要はありません。この四つの言葉すべてでなくても、「ありがとう」と「愛しています」の二つの言葉だけでも、もっと簡単には「愛しています」という言葉だけでも構いません。

「愛しています」という言葉には、「ありがとう」「ごめんなさい」「許してください」という気持ちが入っています。「愛しています」と言うことによって、神聖なる存在がそれを受け取ってマナを降ろして記憶を消去し、さらにインスピレーションが降りてくるのです。

難しく考えずに、ただ「愛しています」と言うだけでいいのです。それが何を意味しているのかということなどわからなくても構いません。

「愛しています」と潜在意識の記憶、すなわちインナーチャイルドに語りかけるだけで、潜在意識の記憶が変換に導かれるのです。

もし、「愛しています」という言葉が言いにくかったら、「ありがとう」でも構いません。男性には「愛しています」となかなか言えない人がいるようですが、「ありがとう」には「愛しています」と同じ効果があります。

また、「愛しています」の代わりに、「大切です」でも構いません。

これが、第2章で紹介した1のプロセスに相当します。

この記憶の浄化が行われると、超意識、神聖なる存在に記憶のクリーニングを願う気持ちが上がっていき、次に神聖なる存在→超意識→表面意識→潜在意識というようにマナが降りてきて、潜在意識の記憶をゼロにしてくれるのです。

しかし、記憶はすぐに蘇ってきます。そこでまた、記憶を浄化する……というように、ホ・オポノポノのプロセスを繰り返さなければなりません。

四つの言葉で多くの人が素晴らしい体験をしている

ホ・オポノポノの四つの言葉について、音楽家の瀬戸龍介さんは素晴らしい体験をして、これらの言葉を織り込んだ「ホ・オポノポノ・ソング」を作曲してくれました。体験談を寄せていただいたので、ご紹介しておきます。

起きるのは不思議なことばかり――私のホ・オポノポノ体験

音楽家
Aman Ryusuke Seto（瀬戸龍介）さん

ホ・オポノポノとの出合いは、ジョー・ヴィターリの書いたヒューレン博士のハワイのある病院での出来事に関して、友人の森田玄がメールを送ってきたことから始まった。２００７年のはじめ頃のことだったと思う。

そのメールの内容に驚いた私は、さっそくヒューレン博士に会いたくなった。すると、ラッキーにも、ロサンゼルスで博士の講演会があるというではないか。さっそく森田玄と一緒に飛んで行こうということになったが、ちょうどその日は娘の花世のコンサートの日と重なっていた。

森田玄が行ってくれて、帰ってきた彼に私は飛びつくようにして話を聞いた。そして、探し求めていたことにやっと出合えたという、何か心の底からの喜びと感動があった。

「ありがとう。ごめんなさい。許してください。愛しています」

この四つの言葉を自分自身に言ってみた。とても不思議な感覚になった。これでもう大丈夫という気がした。

理由はまったくわからない。でも、魂の奥底からの安心感と温かいものを感じた。

「信じなくてもいいから、やってみればわかる」とヒューレン博士が言っていたと玄から聞いた私は、さっそく、実践してみた。

表参道の喫茶店に入った私は、見渡すとタバコを吸っている人がいなかったので、「あー、よかった」と思って座った。するとと、「僕のことを呼びましたか？」とでもいうように男が入ってきた。そして、椅子に座るやいなや、さっそくタバコを吸いだした。

私は、知らずしらず引き寄せの法則でタバコを吸う人を引き寄せていたのだ。

いつも不思議なのは、レストランや喫茶店でタバコを吸う人が座ると、必ずその煙が私のほうへくることだった。ご丁寧に、煙まで私が引き寄せていたのだ。

このときも、煙は私のほうへやってきた。

「あっ！　そうだ。ホ・オポノポノをやってみよう」と思った私は、2〜3分間、目を閉じて自分自身に対して「ありがとう。ごめんなさい。許してください。愛しています」とやってみた。

うすーく目を開けて煙の匂いをかいでみた私は、煙が薄くなっていることをまず感じた。そして、彼のほうに目をやった私は、「なんだ、彼は案外いい奴だった」と思った。

そのとき、自分自身の中の変化に気づかされて私は驚いた。

その数分前まで、あいつはタバコを吸う奴だ、いやな奴だ、としかめ面をしていたに違いない。でも、そのときの私は、その同じ人を案外いい奴だと思っていた。

いったい、何が起きたというのだ……？

ある日、秋田で講演会があった。私は、自分自身のハイヤーセルフのことや、ホ・オポノポノの話を夢中になってした。講演後、ある女性が私のところにやってきて、「明日は残念ながらこられないが、今日は本当によかった」と言って帰っていった。

ところが翌朝、会場に行ってみると彼女が泣いて立っていた。

私が走り寄って何があったのか尋ねると、フランスのルルドの泉で買ってきた記念のペンダントがなくなって4年間も探していたが、昨日、家に帰ったら部屋の真ん中に落ちていたというのだ。

そんなことがあるのか？　私自身も鳥肌が立つほど驚いた！　ホ・オポノポノで自分自身と対話することによって起きることは、不思議なことばかりだ。

いま、全国で多くの人たちが、素晴らしいことや奇跡をこのホ・オポノポノを通じて体験していることを私は知っている。これは、やってみなければわからない。やってみれば、誰にでもすぐわかる。

２００７年９月18日、私は、富士五湖道路を御殿場に向かって車を走らせていた。雄大かつ荘厳な富士山が右側の窓から見えて、思わず心の中で手を合わせた。と同時に、私は歌いだしていた。

「I'm sorry! Please forgive me! I thank you! And I Love You!」

素晴らしいメロディだった。

ホ・オポノポノ・ソングはこうして生まれた。

この曲は、この地上では私が作曲したことになっているが、実は富士山の神様からの私たち地球人類へのプレゼントだった。さっそく家に帰って、楽譜に書きとめた。

２００７年11月のヒューレン博士の来日講演が決まったとき、まずは博士に聴いていただきたかったので、レコーディングに入った。

たまたま、ガイアシンフォニーや「千の風に吹かれて」を原詩の英語で歌って有名なアメリカのスーザン・オズボーンさんもコンサートで来日していたので、彼女にもこの曲に参加してもらった。

娘の花世とスーザンと私の３人の歌はそれぞれまったく違う日に別々にレコーディン

グされたが、出来上がってみると、どんなに打ち合わせしてもこれ以上の出来があるだろうかというほど、上手くマッチングしていた。自分で言うのも変だが、まさしく神業だった！　神様、ありがとうございました！

いまの地球の人類にもっとも必要なことそのものであるホ・オポノポノ。一人でも多くの人たちが日々これを実践したら、あっという間に素晴らしい地球に変わること間違いなしだ。もちろん、戦争も、飢餓も、不平等も、温暖化も消えてなくなる。

神様、ありがとうございます！　ヒューレン博士ありがとうございます！

愛と感謝☆Ho'oponopono★

潜在意識＝インナーチャイルドをケアして納得してもらおう

ＳＩＴＨホ・オポノポノのプロセスでもっとも大切なのは、潜在意識、すなわちインナーチャイルドであるウニヒピリのケアです。

ホ・オポノポノのインナーチャイルドというのは、自分の子供の頃の記憶のことではありません。この世が創られてから今日にいたるまで、海陸空、すべての動植物が経験した記憶をもっている潜在意識そのものです。子供のような振る舞いをするので、子供、インナーチャイルドと呼んでいます。

インナーチャイルドは、もともと天使のような存在なのですが、放ったらかしにしてクリーニングしてあげないと、記憶をそのまま投影してしまいます。人間関係の苦悩や傷跡、痛手など、ネガティブな記憶を増幅し、マイナスの投影をすることがあるのです。

インナーチャイルドは、愛くるしい子供、自分の妹や弟、息子や娘と考えていいでしょう。もっとも愛を注ぐべき存在で、表面意識にとても敏感に応答し、反応します。もともとインナーチャイルドは、愛されるためにこの世に現れている存在なのです。

私たちが認識している表面意識は母親です。母親は、自分の潜在意識＝インナーチャイルドの方向にしか行けません。直接、超意識や神聖なる存在にはアクセスできないのです。母親が自分の子供に対して「愛しています」と言うと、子供の痛みは浄化されます。すなわち、クリーニングされるのです。そこではじめて、母親は子供とともに父親、すなわち超意識のところに行くことができます。

表面意識、潜在意識、超意識が一体となってはじめて、神聖なる存在とつながることができるのです。

この条件が整わなければ、インスピレーションは降りてきません。

すなわち、母親がちゃんと子供を育てないかぎり、神聖なる存在にはアクセスできないのです。いくらお祈りをしても、人は直接、神聖なる存在に語りかけることはできません。

ほとんどの人がこの関係を知らないで、直接、神聖なる存在につながろうとします。

しかし、潜在意識を経由しないと、神聖なる存在にも、超意識にもつながることができないのです。

ですから、早くこのことに気づいてインナーチャイルドをクリーニングしないと、子供は「お母さんは私を愛してくれているんだ」と気づきません。

愛情を込めたインナーチャイルドのケアの仕方を知っておこう

インナーチャイルドは、愛されていない、必要とされていない、自分はただ操作されているだけなのだと思うと、閉じこもってしまいます。

それなのに表面意識で、こんなことはいやだとか、自分は不運だなどとネガティブな考え方をして自分を愛せないでいると、インナーチャイルドが表面意識に情報を送らなくなるので、問題がさらに大きくなってしまいます。

どうせ情報を送っても嫌われるだけだと、インナーチャイルドが落ち込んで閉じこもってしまうのです。まさに、母親の愛情を信じることができなくて心を閉じてしまう子供と同じなのです。

いま日本では年間3万人以上の人たちが自殺していると聞きましたが、これはインナーチャイルドを愛してあげないことが原因です。記憶に閉じこめられて、死を選択せざるをえなくなるのです。

ですから、インナーチャイルドは、きちんと愛情で包んであげなければなりません。何か大変なことが起きても、どうして自分だけにこんなことが起きるのかなどと考えずに、感謝しなければならないのです。

ただ不幸を受け入れているだけだと、インナーチャイルドは、自分は認められていないと思って孤立してしまいますから、積極的に感謝しなければなりません。

インナーチャイルドのケアは、次のようにして行います。

1. インナーチャイルドの頭をやさしくなでます。常に気にかけて、大切に慈しむようにします。
2. やさしくハグをしてあげましょう。強くハグすると怖がってしまいます。
3. そっと手をとって、やさしくなでてあげます。
4. 両肩を抱きしめて、しっかり感情を込めて惜しみない愛で満たしてあげます。親が手を抜いてかたちだけのことをしていたら、子供はそれを敏感に感じとります。インナーチャイルドも、まさに同じようにウハネ、すなわち母である表面意識の愛情に敏感なのです。

心からの愛情をもって接しなければ、インナーチャイルドの協力は得られません。インナーチャイルドが「ずっと協力してあげる」とうなずけば、潜在意識は表面意識の願いを無条件に聞き入れてくれるようになります。

ただし、インナーチャイルドは、常に自分の行動や態度を見ているので、気を抜かないでケアしつづけなければなりません。

本当に母親が幼い子供の世話をやくように、頭からつま先まで保護するようなジャンプスーツを着せてあげて、バッグに1日に必要な食べ物、着替えなどを入れて持たせるようなイメージをもってケアしなければなりません。

それだけ、細かくイメージしてケアしてあげるのです。

子供の頃からインナーチャイルドの存在に気づいていた人たち

作家のよしもとばななさんは、子供の頃から自分のインナーチャイルドの存在に気づいていたそうです。

ホ・オポノポノのベーシック1クラスでは、インナーチャイルドとのコミュニケーションをとるためにお風呂に入れてあげるイメージトレーニングをしたりするのですが、よしもとさんは3歳くらいの頃から、自分のインナーチャイルドとおままごとをしていたといいます。

よしもとさんに、ご自身のホ・オポノポノ体験を書いていただいたので、紹介しておきます。

ゆずれないもの――私のホ・オポノポノ体験

よしもとばななさん

自分が清らかだったという自慢話では決してなく、私は小さい頃、ほんとうにものや植物とお話ししていた。花瓶が割れてもかわいそうだと泣き、動物が死んだりしたらお祈りしたり嘆き悲しみ、もうたいへんだった。いらいらした人がいる部屋に入ると頭痛がしたし、病院に行くといろいろ感じてしまいそれだけで1日寝込んだ。悪意にも敏感でびくびくしていたし、旅行に行ったら帰るときには「ありがとう、お部屋よ」と言って出た。自分の中に小さな友達がいて、その友達が喜ぶものを集めて袋に入れ、いつでも持って歩いていた。

実は今もほとんど内実は変わっていないのだが、小さい頃はいっそうむき出しだったと思う。

そんな私がどんな目にあって生き抜いてきたか、想像がつくであろう。

人々はみな私を狂っているとか神経質だとか、もう少ししっかりしなさいだとか丈夫になりなさいだとか、うっとうしいだとか、面倒くさいだとか、繊細すぎると言った。

私はいったんそれを本気で真に受けてみた。

現実社会の一員として、ものすごく現実的になってみたのだ。

そうしたら、いいこともたくさんあった。

たとえば、愛する動物が死のうとしているときに、しっかりと地に足をつけて体をつかって看病できるようになった。いろいろな人に会ったり、いろいろなところに行ったりするのがこわくなくなった。あらゆる人の意見を理解し、合わせることもできるようになった。


その段階で、私は自分の中の小さな人の叫びから少しだけ逃げた。

その瞳は透明すぎるし、生きていくのには必要がない、なんといってもその面を大事にすると、男の人からは追いかけられ、女からはねたまれ、苦しいことが多すぎて、ろくなことがない。図太い方が生きやすい、どんどん奥に押し込めておこう、自分の中にその人がいることを知っているんだから、大丈夫だとたかをくくった。

でもその小さな人はどこまでも叫び続けた。小さい声で、でも決して消えないはっきりした調子で。その人はまだ植物や動物と話ができるし、部屋や石の声も聞けた。清められた空間とそうでない空間の違いを、掃除の有無だけでなくわかることができた。

ただ人間だけがこわい、そう言っていた。

人間をこわがってたらきりがないよ、もういいよ、人のことなんてどうでも、そういうふうに私は切り捨てようとした。でも、小さな人はうなずかなかった。苦しむことも、とことんやったほうがいいと言うのだった。

そしてあるときその人は突然、美しい反逆をはじめたのだった。

私がごまかしたり楽になろうとしたり人に好かれようとしてついていた小さな嘘はみんな明るみに出て、おそろしい勢いで浄化が始まった。後は小さい人の声と共に生きるしかない、でも私にはまだ自信がなかった。

あるところから、私は人に合わせることがどうしてもできなくなった。これまでは「わかるわかる、その考え方わかるところがある」と言えていたのに「私はあなたがとても好き、でもここは違う。私は、こう感じる」としか言えなくなった。そうしたら、驚くほどたくさんの人が離れていって、お互いが傷ついた。そんなでは意味がないではないかとさえ思った。それでも私は、小さい人の声を消せなかった。そして次に起きたことは、ほんとうにわかってくれる人が、ひとりまたひとりとおずおず近づいてきてくれたのだった。

それでも恐ろしい痛みをむき出しのままくぐって、私は弱っていた。

その過程で投げつけられたさまざまなののしりで、体が痛いほどだった。

そして少し自信を失っていた。わかってはいるけれど、失ってしまったのだ。

そのリハビリの過程で、私はホ・オポノポノに出会った。

あるとき、イハレアカラ・ヒューレン博士のインタビューを読んだのだ。その辛辣さが真実の愛であることが、似たものを持つ私にはすぐわかった。そして、彼のことを調べて、クラスに参加した。

私が恥ずかしく思っていたこと、生きていくのに弱すぎると思っていた全てのこと、小さい人を大事にすること、その全てがそこでは光に包まれていた。

私が小説を書く上で、本をつくる上でしようとしていたことは、全て正しかったのだ、ここには確かに同じ思想がある、そう感じた。

これまで誰に言っても「大げさな」「空想だ」「それでは生きていけない」と言われたことの全てが、そこで肯定された。

私の中の小さい人を育てていく技法も具体的にしっかりと教わった。

それで私は猛然と変わりはじめた。変わりはじめたら、これまでに出会った数少ない理解者たちがどんなに私を思って、ほんとうの私に戻るためにどんなにはげましてくれていたか、はじめてわかった。

自信が戻ってきた。

自信と共に、私にはもう地に足のついた苦しい時期に学んだあらゆる経験もそなわっていた。

そして私から自信を奪ったのは他人ではなく自分である、という責任の重さをほんとうの意味で理解した。おそろしい他人を想定して自分を正当化するのをきっぱりとやめた。今日も明日も、たぶん私は静かにクリーニングを続けている。そして、私は気づきはじめている。これはとてもたいへんなことだが、実は私はずっとひとりぼっちでこれをやってきたのだ。永遠に続く孤独な徒労だと思ってやってきたことが、光の道、意図のある自信の道に変わったのは、ヒューレン博士の姿を見て、その黒く輝く瞳をのぞきこんで、自分と彼が、そして全ての人が属するほんとうに美しい「無限」を見たからだと確信している。

これまで書いたことはかなり特殊な私のケースだから参考になるかどうかわからないが、人の目を気にしては自信の光を自ら消していってしまう日本人にとって、ホ・オポノポノはかなり有効ではないだろうか。

クラスの中で、質問のコーナーのとき、とてもよい感じのおじょうさんがだいたいこんな内容のことを言った。

「私は弱くて、クリーニングしつづけるのがこわくて、とてもできそうにありません。あまりにも遠くてたいへんなことに思えてしまうんです」

ヒューレン博士は言った。

「今やりはじめなければ、それは明日になるだろう。明日できなければあさってになるだろう、そして結局来世にやることになる。それだったら、今すぐに始めた方がいい、そう思わないかい？」

ほんとうにそうなのだと思う。
逃げるよりも、育てることのほうがほんとうのほんとうは簡単なのだ。今、それに気づこう。

よしもとさんのように、自分のインナーチャイルドの存在に気づいている人がときどきいます。インナーチャイルドの大切さをずっと書きつづけている人と出会って、私は希望をもちました。

この体験でもわかるように、インナーチャイルドとの関係はとても大切です。表面意識と潜在意識、自分の認識とインナーチャイルドの関係がきちんとしていたら、すべてが上手くいきます。

私は、何をするにしても、インナーチャイルドの許可なしにはしません。インナーチャイルドとの関係を常に良好に保つことによってゼロに近づくことができるのです。

お母さんが子供の面倒をきちんとみていたら、ホ・オポノポノのことは考える必要がありません。インナーチャイルドをやさしくお風呂に入れてあげたり、ご飯を食べさせてあげたり、話し合ったりすると、父である超意識、そして神聖なる存在は勝手についてくるものなのです。

四つの言葉に代わってクリーニングしつづけてくれるもの

先に述べたように、「愛しています」という言葉には特別な意味がありますが、このほかにも、潜在意識を変換してクリーニングしてくれるものがさまざまあります。

つくり方はあとで説明しますが、青い瓶に入れてつくった水、ブルーソーラー・ウォーターを飲むと、「愛しています」と言うのと同じ効果があります。

また、「アイスブルー」と言って植物に触れると、痛みに関するクリーニングが行われます。

さらにイチョウは、肝臓に蓄積されている毒素と関係あります。イチョウの葉を押し花にして、財布や手帳などに挟んで持っているだけで、肝臓の解毒機能が改善します。

心臓や呼吸器系に問題がある人は、カエデの葉をもっているだけで癒されます。カエデの葉は、氷河の純粋な空気を運んできてくれるのです。

私の最初の子供は呼吸器系に問題があったので、私はカエデの葉を手にしながら、私の中に起きている何がそうさせているのだろうと、常にクリーニングしていました。

ピンクの百合、カサブランカの花から、私は水を飲むイメージをします。このイメージによって、死にまつわる痛みや苦しみ、恐れがクリーニングされます。私は、飛行機に乗るたびに、ピンクの百合から水を飲むイメージを思い浮かべています。

さらに、コンピュータに向かうときは、必ずガラスの容器の中に水を4分の3ほど入れ、ブルーコーン・ミールという紫色のトウモロコシの粉をちょっとふりかけたものを持っていきます。そして、コンピュータの横に置きます。

これは、コンピュータに関して起こるトラブル、すなわち変なメールがきて仕事がはかどらないとか、そういったことをすべてクリーニングしてくれます。

ブルーコーン・ミールがなければ、ブルーソーラー・ウォーターを注いだコップを横に置いておくだけでもいいでしょう。ブルーソーラー・ウォーターは、すべてを消去する強い力をもっています。

あと、バニラアイスは、考え事をしたりするときにクリーニングしてくれます。ものを考えていると、どうしても知識、すなわち記憶が出てくるので、これを消さなければなりません。

私はとくに話すことが多いときは、バニラアイスを2、3回食べるようにしていて、自宅にアイスクリームマシンを用意しているほどです。

マシュマロにも、バニラアイスと同じ効果があります。

私はいつもキャップをかぶっているので、これがトレードマークだと言う人がいますが、キャップは人と話しているときに、自分の中で起きている何が原因でこういう話を聞くことになっているのか、という部分を常にクリーニングしてくれています。

ホ・オポノポノのクリーニングツールのつかい方

前項では、大切な四つの言葉のほか、ブルーソーラー・ウォーター、「アイスブルー」という言葉、イチョウやカエデの葉のイメージ、ピンクの百合やカサブランカの花から水を飲むイメージなどを紹介しましたが、これらはSITHホ・オポノポノで潜在意識をクリーニングしてくれるツールです。

クリーニングツールにはこのほかさまざまありますが、ここでその一部を紹介しておきます。

●「ハ(ha)」の呼吸法

「ハワイ（Hawaii）」の「ハ（ha）」は、ハワイ語で「聖なる霊感」を意味します。ちなみに、「ワイ（wai）」は「水」、最後にもう一つついている「i」は「神」意味しています。すなわち、ハワイは「神と息と水」のことで、ハワイという言葉自体が清めのプロセスになっているのです。

「ハ」の呼吸法は、以下のように行います。

1. 背筋を伸ばして椅子に座る。
2. 膝の上に手を乗せる。
3. 両手の親指、人差し指、中指をくっつけて、∞のマークをつくる。
4. 心の中でゆっくり7秒まで数えながら息を吸う。

5. 7秒間、息を止める。
6. 7秒間かけて息を吐く。
7. 7秒間、息を止める。
8. この4から7までを1ラウンドとし、この呼吸を7ラウンド繰り返します。

「ハ」には、生命エネルギーを活性化する働きがあり、この生命エネルギーは潜在意識に送り込まれます。

ちなみに、ハワイで「こんにちは」「ありがとう」「さようなら」などの意味でつかわれる「アロハ（Aloha）」は、もともと「私は神の前にいます」という意味です。この言葉にも、清めの効果があります。

●心の中でハの呼吸法を行う

日常生活では、仕事をしていたり、電車に乗っていたり、先に紹介したハの呼吸法を実際にはできない場合が多々あります。こういうときには、心の中でハの呼吸をするイメージをするだけでも効果があります。

●ブルーソーラー・ウォーター

ハワイの「ワイ」には、先に説明したように「水」の意味があります。ブルーソーラー・ウォーターは生命の水といっていいでしょう。

ブルーソーラー・ウォーターは、次のようにしてつくります。

1．青いガラス製のボトルを準備します。焼酎やお酒、ワインのボトルなどに青いものがあるので、こういったものを利用して構いません。

2．水をボトルに満たす。このときにつかう水は、水道水でもミネラルウォーターでも構いません。

3．ボトルに蓋をする。注意しなければならないのは、金属製のキャップは避けなければならないことです。もともと金属製のキャップがついていたボトルは、ラップと輪ゴムで蓋をしてもいいでしょう。

4．水を入れたボトルを太陽光に30分から1時間さらす。太陽光がない場合は白熱灯の光でも構いません。ただし、蛍光灯の光では効果がありません。

光を当てて完成したブルーソーラー・ウォーターは、そのまま飲用します。できれば、1日2リットルくらい飲むようにしましょう。青いボトルに入れてつくったブルーソーラー・ウォーターは、別の容器に移し替えても構いません。

このほか、料理につかったり、何かを溶かして飲料にするのにつかっても効果があります。また、お風呂のお湯に加えたり、化粧水として利用したり、植物などの水やりにつかってもいいですし、ペットに飲ませてもいいでしょう。

また、洗濯水に加えると、洗濯機が喜んでその日の嫌な記憶を全部クリーニングしてくれます。

さらに、机やパソコンに向かって仕事をするときなども、ブルーソーラー・ウォーターをコップに4分の3ほど入れて机やパソコンデスクの端に置いておけば、勝手にクリーニングしてくれます。

私は、常にブルーボトルを持ち歩くようにしています。

ただし、ブルーソーラー・ウォーターは、できるだけ早くつかいきってください。生水なので悪くなる場合があります。

●心の中でブルーソーラー・ウォーターを飲む

ブルーボトルがなくてブルーソーラー・ウォーターがつくれないとき、その場になくて飲めないときなどは、心の中でブルーソーラー・ウォーターを飲むイメージをするだけでも効果があります。

●「アイスブルー」と語りかける

先に、植物に「アイスブルー」と語りかけると、痛みのクリーニングになることを紹介しましたが、この言葉は霊的、精神的、物理的、経済的、物質的な痛みの問題、痛ましい虐待に関する記憶をクリーニングしてくれます。

アイスブルーは、氷河の水の色ですが、自分がこの言葉で思う色をイメージして構いません。植物に語りかけるだけでなく、自分が抱える問題に対して心の中で言葉をかけてもいいのです。

●家に帰るイメージをする

旅行に出かけているとき、学校や勤務先にいるとき、さらには近所のスーパーに買い物に行っているときなど、どこに出かけていても、心の中で自分の家に帰ることをイメージします。自分の家の玄関や駐車場に帰り着いて、ホッとしたところをイメージしてください。

これによって、ネガティブな気持ちをクリーニングすることができます。

●心の中にXを置く

心の中で、「X」の形をイメージします。何かが交差するイメージでも構いません。また、何か問題が起きたときに、「1X（ワンエックス）」と口にします。

「X」は、中毒、虐待、破壊に関する記憶を取り除き、それにかかわる思考や経験を、もともとの正しい時間や場所に戻してくれます。これにより、その記憶によって生じた心の負担を解き放ってくれます。

このほか「X」には、心を落ち着かせ、クリーニングを容易にし、他のクリーニングツールの働きを高めてくれる効果があります。

●心の問題のクリーニングツール

ブルーソーラー・ウォーターに1、2滴、フレッシュ・レモンジュースを垂らす。これを飲むことによって、ヒステリーがおさまり、ゆううつな記憶をクリーニングすることができます。

なお、心の問題を解決するフレッシュ・レモンジュースを垂らしたブルーソーラー・ウォーターについても、「ハの呼吸法」やブルーソーラー・ウォーター同様、イメージするだけでも効果があります。

●お金の問題のクリーニングツール

ボトルパーム（とっくり椰子）の鉢植えを準備してください。

ボトルパームには、神聖なる存在がインスピレーションを貯蓄していきます。ボトルパームは銀行のＡＴＭ（現金自動預け払い機）のようなもので、神聖なる存在が蓄えてくれたインスピレーションを自由に引き出してつかうことができます。

このツールにより、経済や金銭の問題のクリーニングができます。

●我慢がつらいときのクリーニングツール

イチゴを食べます。これによってダイエットのつらさをはじめ、さまざまな我慢のつらさ、ゆううつな問題のクリーニングができます。

日常的にクリーニングしつづける「Ceeport」グッズの効果

仕事をしたり、日常のさまざまな用事をするなかで、常に意識的にクリーニングしつづけるのは難しいことです。そういう場合は、「Ceeport」グッズをつかうのも一つの方法です。このグッズは、私に降りてきたインスピレーションに基づいてつくったものです。

何年か前のある晩、歩いている最中に声が聞こえました。

「家に着いたらＳＩＴＨホ・オポノポノ（ＳＩＴＨ）のテキストを出して１０３ページの第２節を読みなさい」

私はそのとき、「アイスブルー」という言葉をかけたりして浄化しながら美しい大木の並木道を歩いていました。大木はお返しに私を癒してくれました。

心の中で「アイスブルー」とつぶやきながら木に触れたとき、この言葉が聞こえてきたのです。

家に帰り着いた私は書斎に行き、声に命じられたとおり、ホ・オポノポノのテキストを取り出しました。

読むように言われた第2節には、次のように記されていました。

クリーニングなさい。(CLEAN,)
消して、消して、(ERASE, ERASE...)
あなた自身のシャングリラを見出しなさい。(and find your own Shangri-La.)
どこに?(Where?)
あなた自身の中に。(Within yourself.)

シャングリラというのは、理想郷のことです。

そしてまた、声が聞こえました。

「この詩の最初の文字、『CEE』をとって『Port』という単語と合わせて、『Ceeport（シーポート）』という言葉をつくりなさい」

「ポート（port）」というのは港のことですから、クリーン、消去するという「シー（CEE）」と合わせると、クリーニングすると自分の本来の港に戻ることができるという意味になります。

友人が、携帯電話をつかうたびに頭痛に悩まされているというメールを私にくれました。私がそのメールを読んだあと、また声が聞こえてきました。

「『Ceeport』と書いたシールを携帯電話に貼るようにお友達に伝えなさい」

友人にそのことを伝えた数日後、頭痛から解放されて、すっかり楽になったというメールがきました。

「Ceeport」は、記憶を消去し、意識をゼロの状態に戻すクリーニングのプロセスなのです。まさに、聖なる意識が存在する意識の母港であり、仏陀の悟りを実現するものなのです。

日常生活で仕事をしていたり、家事をしていたりしていると、神聖なる存在からインスピレーションが送られてきても受け取ることができません。インスピレーションを受け取るためには、常に空でいなければならないのです。

しかし、「Ceeport」グッズを身につけていると、常に浄化されつづけていますから、神聖なる存在からのインスピレーションを逃すことがありません。

「Ceeport」グッズで悩みが解消し、人生が変わった

「Ceeport」グッズには、以下のようなものがあります。

●「Ceeport」シール

コンピュータや携帯電話などの電子機器、家やオフィスなどの風水的に重要な場所に貼っておくと、常にクリーニングしてくれます。

●「Ceeport」クリーニングカード

自分のウニヒピリ、すなわちインナーチャイルドと対話するためのトランプのようなカ

ードです。

毎朝毎晩、クリーニングしたいことを思い浮かべながらシャッフルして、１枚引きます。そのカードに書かれている言葉が、その日、自分をクリーニングしてくれたり気づきを与えてくれます。何度も繰り返して読んでください。

もし、クリーニングしたい内容と引いたカードの言葉がしっくりこない場合は、カードを切り直しても構いません。

朝晩だけでなく、何かクリーニングしなければならない問題を感じたときにも、カードを引いてください。そのときに出てくる言葉が、その問題のクリーニングに役立つはずです。

●「Ceeport」カード

クレジットカードと同じサイズのカードです。

本やノートや書類などの間に挟んでおくと、膨大な内容の中から自分に必要な情報だけが目につくようになります。

また、財布などに入れておくと、さまざまな人の手を経て膨大な記憶を蓄えているお金を浄化してくれます。気持ちよくお金が貯まるようになったり、不必要な浪費をしなくなります。

●「Ceeport」ピン

洋服につけられるピンバッジです。どこに行くときでも、これをつけているだけで、クリーニングしてくれます。

これらの「Ceeport」グッズは、ホ・オポノポノ・アジアのホームページで購入できます（http://hooponopono-asia.org/www/jp/）。なお、「Ceeport」のショップでは、ブルーボトルも扱っています。

これらのクリーニングツールには、常に「愛しています」と言いつづけるのと同様の効果があります。

こういうグッズを身につけて常にクリーニングしていると、自分にふさわしい新たなクリーニングツールがインスパイアされたりします。

ＳＩＴＨホ・オポノポノを受講しているある弁護士の男性は、「Ceeport」のシール、クリーニングカード、カード、ピンなど全製品をつかっていますが、これらを日常的に身につけるようになってから、仕事が順調に進むようになったとセミナーのクラスで報告してくれました。

ちょっと変わったつかい方をして効果があったという人がいるので、ご紹介しておきましょう。ずっと10代の娘さんのことで悩んでいたお母さんの言葉です。

「家族全員が写っている写真の裏側に、『Ceeport』のシールを貼りました。かつての悩みはどこにいってしまったのかと思うほど、いま娘と私は親友同士のような関係になっています」

私も、「Ceeport」のピンを身につけています。とくに、旅行中や講演の際には必ずつけるようにしています。また、「Ceeport」カードを常に財布に入れて携帯していますが、このカードは入ってくるお金、出ていくお金、クレジットカードによる出入りも含めてあらゆる金品を浄化してくれます。

さらに、私の本棚に並んでいる何冊かの読みかけの本にも、「Ceeport」のカードが挟んであります。本が浄化されて、本当に必要な情報だけが私の目に飛び込んでくるようになりました。

これまで紹介してきたように、さまざまなクリーニングツールがありますが、これらを用いたり、四つの言葉でクリーニングしてゼロに近い状態になると、自分にもっともふさわしいクリーニングツールのインスピレーションが降りてくることがあります。

できれば、クリーニングを続けるなかで、人に頼らずにそういうインスピレーションに出合ってほしいと思います。

第4章　鼎談
人類がこれまで背負ってきた悩みはすべて解消できる

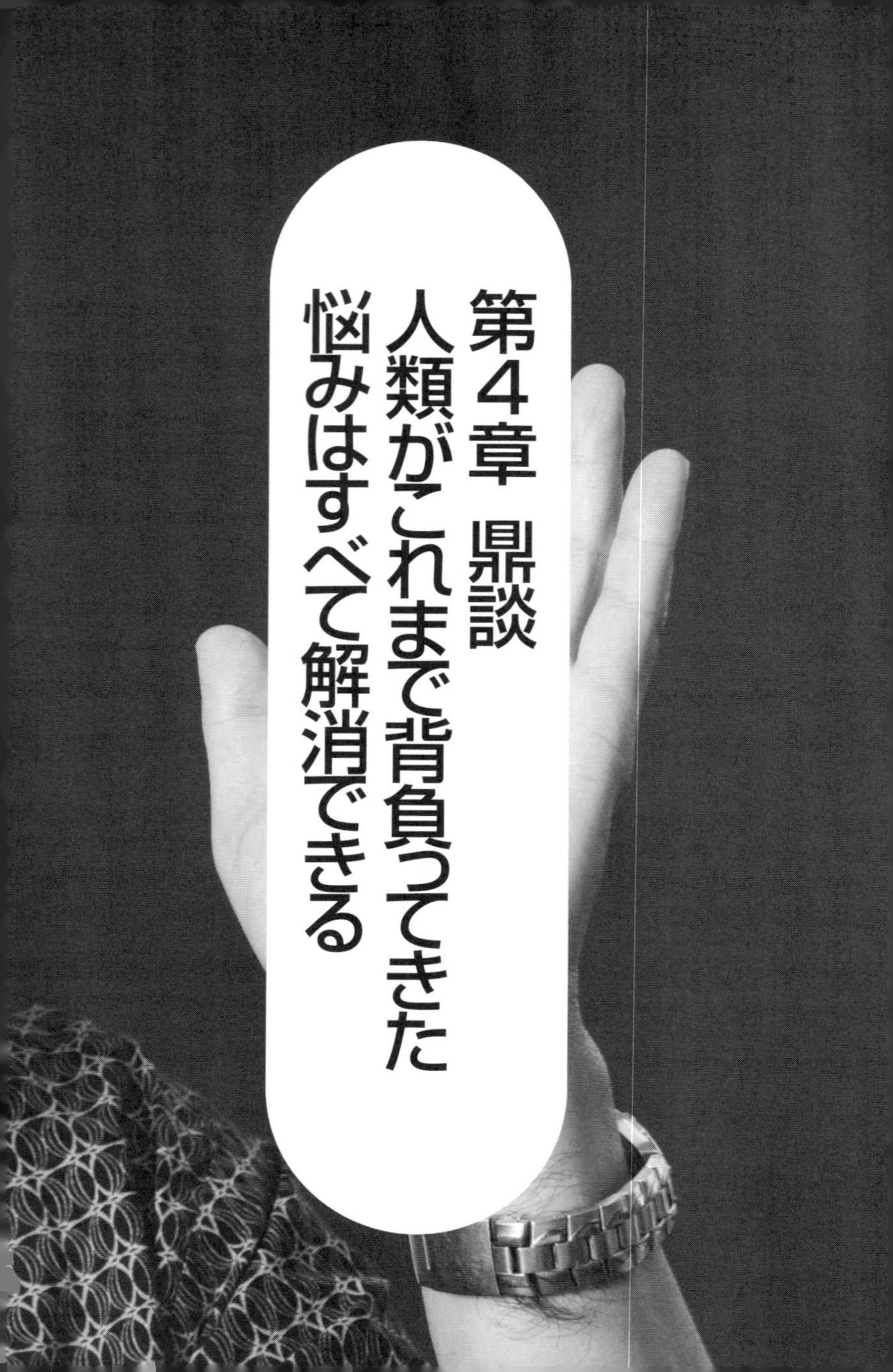

――人見ルミさんは船井メディアが発行するCD・カセットマガジン『Ｊｕｓｔ』の編集長、高岡良子さんは月刊『ザ・フナイ』の編集長を務めています。これまでヒューレン博士を月刊誌で取り上げたり、ヒューレン博士のイベントを主催するなど、さまざまなかたちでホ・オポノポノの考え方を紹介してきましたが、その反響はどのようなものだったのでしょうか。

枯れていた植物が蘇った、花が長持ちするようになった

人見　『ザ・フナイ』の２００８年2月号で、ヒューレン先生と船井幸雄会長のトップ対談を掲載しましたが、読者の方たちから、「こんな考え方があったのかと感動した」「さっそく子供たちにホ・オポノポノをやってみた」、そういう声がありました。

とくにブルーボトルに関心が高く、それをお求めになった読者から、10本、20本という単位で追加注文もいただきました。

また、ブルーボトルでつくったブルーソーラー・ウォーターを自分で飲みながら、庭の

植物の水やりにもつかったという方からは、枯れていた植物が蘇った、元気のなかった草花が活き活きとしてきた、花が長持ちするようになったという電話もあり、正直言ってびっくりしました。

ヒューレン　人の場合、心臓に何か問題があったり、糖尿病だったりするのは、過去の記憶が再生されるからです。しかし、ブルーソーラー・ウォーターで潜在意識の不幸な記憶を消してしまえば、それから先そういうことは起きなくなります。

ブルーソーラー・ウォーターを飲むと、潜在意識に直接働きかけて過去に起きた不幸な出来事の記憶をすべて消去してくれますが、これは植物に関しても同様なのです。

土壌が不幸せだったら、そういう土に植えられた植物は不幸に育ちます。しかし、ブルーソーラー・ウォーターに種や苗を浸けてから植えると、土壌の不幸な出来事などの記憶をキャンセルしてくれるのです。

ブルーソーラー・ウォーターに浸けた種や苗は、乾燥することはあっても腐ることはありません。

人の心臓に何か問題があったり、糖尿病だったり、リウマチだったりした場合、ブルーソーラー・ウォーターを飲むことによって細胞内にある記憶も消去されます。死んだ細胞が再生されても、消去された記憶が蘇って病気が再発するということはありません。潜在意識は、細胞もすべてコントロールしているのです。

ですから、ブルーソーラー・ウォーターに浸けた種や苗も、腐ったり病気になったりしにくいのです。

信じていない人に対しても、ホ・オポノポノは効果がある

高岡　世の中の不幸な出来事は、すべて潜在意識の記憶の再生で起きるので、病気やいやなことも、記憶を消去してしまえば起きなくなるということなんですね。

なんらかの方法で効果があると言われても、それを信じていない人がすると、効果がないなどと言われることがありますが、ホ・オポノポノはその点いかがでしょうか。

ヒューレン　たとえばホ・オポノポノを信じない人がいて、「こんなこと、あるわけないじゃない」と言ったとしましょう。しかし、その言葉はその人が言っているのではなく、あなたの記憶がその人に言わせているのです。

ですから、自分の潜在意識の記憶を消してしまえば、その言葉を言った人が信じていなくても大丈夫なのです。

高岡　今日のこの鼎談のために、ヒューレン先生は、クリーニングしてきてくださったとお聞きしましたが、具体的にどのようになさったのでしょうか。

ヒューレン　お二人をクリーニングしただけでなく、先祖代々のクリーニングをしてきました。

私たちの祖先が原初の生命体として海の中を漂っている状態から、脊椎を得て魚になり、肺ができて地上に出てきたとき、さらには現在まで、すべての祖先をクリーニングしてきました。また、私たちがいまいる三次元以外の次元までクリーニングしました。

これで、私の中のかつて縁があったものも、すべてクリーニングできました。

高岡　ヒューレン先生にお目にかかるだけで、私たちの祖先が誕生したときまでさかのぼってクリーニングしていただけるんですね。さらに、私たち一人ひとりが同じことをしたら、素晴らしい勢いで世界は変わっていくことになりますね。

ヒューレン　ホ・オポノポノが目指すゼロの状態というのは何もないということですから、宇宙のビッグバン以前のところまで行ってクリーニングしてきます。

心の中で、四つの言葉「ありがとう。ごめんなさい。許してください。愛しています」を唱えてもいいし、ブルーソーラー・ウォーターを飲んでクリーニングするだけでもいいのです。

悩み事であれ、苦しみであれ、つくり出しているのは自分の記憶

人見　私たちは肉体をもって生まれてきていますから、痛みがあったり苦しみがあったり、そういうものからなかなか自由になることができません。現実の世界で私たちは毎日闘っているわけですが、どうして人は肉体に縛られて執着し、悩みや苦しみから逃れられないような存在なのでしょうか。

ヒューレン　私たちは本来、無で悟った存在なのですが、どうしても記憶をもっているので、それが肉体に投影されてしまいます。

いま、毎日闘っていると言いましたが、その闘いは外で起きていることではなく、自分自身の中にすべてあるのです。苦しみも悩みも、自分の中にあって、それが肉体にそのま

ま映し出されているのです。ですから、実際は何もないのです。

たとえば、誰かの体調がよくないというときは、周囲の人たちの思いがその人の体調に映しだされているのです。

すなわち、私たちの記憶が病気にしてしまっているのです。

ですから、それをクリーニングすると、体調はよくなります。

このように、外で起きていることの原因はすべて自分にあって、自分の責任なのです。病気であれ、悩み事であれ、なんらかの苦しみであれ、それをつくり出しているのは自分の意識の中の記憶なのですから、その記憶を消去してしまえば、潜在意識の中を光が通るようになります。

原因となって光をさえぎっているのは自分なのですから、クリーニングすれば光が通って超意識、神聖なる存在と共鳴するようになるのです。

２００７年11月に船井幸雄さんにはじめてお会いしましたが、お会いする前に「私の中で何が起きていますか」と私の中で質問してみました。人と会うときは、何か理由があるのです。

私が誰かと会うときは、何か私の中にクリーニングしなければならない記憶があるから、そういう出会いがあるのです。もし私の中に記憶が何もなくてゼロの状態だったら、船井さんとこの人生において会う必要はなかったはずです。

船井さんはこころよく私を迎えてくれましたが、これは私の中にある記憶を手放す場をつくってくれたということなのです。

船井さんにお会いする前にクリーニングしたように、私が日本にくるときには、必ずくる前にご縁をつくってくださった方々のことをクリーニングするようにしています。

何をクリーニングしているか、その内容はわかりません。なぜなら、表面意識の１００万倍もの記憶があるので、把握しようがないのです。しかし、意識を送って記憶を消すことはできます。

今日、この部屋に入ってきたときに、子豚がよちよち歩き回って母豚を捜し求めるビジョンが現れましたが、それもすべて記憶によるものです（注　鼎談を行った建物の近くには食肉市場があります。ヒューレン博士はそのことを知りませんでした）。皆さんとの出会いをきっかけに、私の中のそれまで気づかなかった部分を見せてくれて、それを消す場を与えてくれているのです。

それをクリーニングしてゼロになったら、そのことはそれで終わりです。

カリフォルニアのウッドランドヒルという町でワークショップを行ったときに、参加したカメラマンのカメラが泣いていました。そこで、カメラマンにどうしたのか聞いたら、カメラクルーの家族が亡くなって、そこの撮影をしたあとワークショップに参加したということでした。

その撮影の延長できたので、悲しみの思いがカメラと一緒にきてしまったのです。

そういうことがありますから、今日もエレベータに乗っているあいだに、このビル全体の電気システムや空調などの記憶をすべてクリーニングしておきました。

世界中の人たちがホ・オポノポノをしたらすべての問題が解決する

人見　いまちょうど、洞爺湖でサミットが行われているところですが、世界各国の代表、トップの人たちの意見はなかなかまとまりません。また、イラクやアフガニスタン、そしてパレスチナでは戦火が絶えませんし、アフリカでは多くの子供たちがお腹を空かして亡くなっていきます。

私たちみんながクリーニングしていれば、このような世界的規模で考えなければならない問題も解決するということなのでしょうか。

ヒューレン　そういう問題は、国の代表の人たちが解決するのではなく、自分自身でクリーニングしたらいいのです。

大勢の人がクリーニングに参加すればするほど、そういう問題は簡単に解決してしまうことになるでしょう。

生命が誕生したときから、戦争は行われてきました。その時期によって戦争のかたちは違ったでしょうが、争いが絶えたことはありません。20世紀は戦争の時代といわれましたが、21世紀になっても戦火は絶えそうにありません。

私は、世界中の国々で講演やセミナーを行っています。ドイツにもオランダにも、100人単位のＳＩＴＨホ・オポノポノのクラスがあります。しかし、私はあまり出歩くのは好きでありません。本当は、どこかの山奥に住んで、静かに散歩していたほうがいいのです。

しかし私は、多くの人たちに、この世で起きていることは100パーセント自分の責任だということを伝えなければならないと思っています。みんな、原因は外にあると思っていますが、すべての原因は自分の中にあるのです。

それが本当にわかってもらえて、世界中の人たちがクリーニングするようになったら、国家間の問題はもちろんのこと、人間関係のストレスも、病気も、すべて解決してしまうでしょう。

これを伝えるために、私は世界を回って講演を続けているのです。

「神を殺して家にたどり着くように言われている」の意味

高岡 『ハワイの秘法』の中でヒューレン先生は、「神を殺すこと」という表現をなさっていました。

「私は、神を殺して家にたどり着くよう言われている」とのことで、「でも、どうやって神を殺すんです?」という問いに「清め続けるのさ」とおっしゃっています。

先生のおっしゃる「神を殺す」とは、どういう意味なのでしょうか。

ヒューレン 神を頼ろうとすると、自分の中に一つの宗教が生まれることになります。私が言いたかったのは、〝神を殺す〟というより、〝自分たちが思い描いている神に対する思いこみや決めつけ〟を手放すということなのです。

高岡　私たちは、さまざまなことや人に対して、知らず知らずのうちに、いろいろな思いこみや決めつけをもってしまいがちですからね。

ヒューレン　戦争は、何が正しいとか何が間違っているというところから始まります。自分を正当化することが、戦争の起きる原因なのです。そういったことを説明するために、私は「神を殺すこと」という表現をしたのです。

この話は、コロラドのセミナーのクラスで質問が出たときの私の回答です。質問者の女性は怒ってクリーニングしないで帰ってしまったので、私はクリーニングしてセミナーを終えました。

質問者はその後、周囲の人たちに私の発言に対する批判をしていたようですが、私は自分の責任としてクリーニングしたので、発言者もその話はほかでしなくなったようです。

この質問は、私のセミナーで出たものですから、すべて私の責任です。その女性が質問したことに対して私がクリーニングしなかったら、その女性の2世代後の子孫に知恵の発達が遅れている子供が生まれるところでした。

もし私がクリーニングしないで2世代後にそういう子供が生まれたら、その責任は私が受け継がなければならなくなっていたでしょう。「神様が試練を与える」とみんな思っていますが、神様がそういうことをしているのではなく、みんな自分がやるべきことをしないので、その繰り返しが起きているというだけのことなのです。

　これについて、インド人はカルマと言い、日本人は業と言ったりするようですね。

100パーセント自分の責任ということを胸に刻みこもう

人見　障害をもって生まれた子供をもったお母様方は、自分の責任ではないかと、ずいぶん自分を責めて悩むといいます。それも、100パーセント自分の責任ととらえたほうがいいのでしょうか。

ヒューレン　そういうふうに考える前に、クリーニングだけをずっとしていればいいのです。その子供がどういう状態であれ、母親がきちんとクリーニングすれば、その子にとって一番ふさわしい正しい場所に、その子が自分で探して行くことになるでしょう。

しかし親が子供に対する執着を手放さないと、母親の意識にとらえられてしまい、子供はどこにも行けなくなってしまいます。

障害のある子供をもったお母さんたちが自分の責任だと思って自分を責めるのは、お母さん自身ではなく周りの人たちがそういうふうに考えているからです。そういう考え方があるので、お母さんたちは自分の責任だと思って背負い込むことになります。

しかし、誰か一人がきちんとクリーニングすれば、その負担はお母さんたちにはいかなくなります。

てんかんの男の子がいて、脳に障害があるという医師の診断があったそうですが、その子のおばあさんがずっとクリーニングしつづけたそうです。そうしたら6年後に、その男の子は、普通の子供より学年が2年先の文字を書いたり読んだりできるようになり、泳ぐのも上手になり、きちんと話せるようになったといいます。

ですから、てんかんだというように決めつけてしまうのは、その人たちの潜在意識の記憶なのです。きちんとクリーニングすれば、すべて消去できるのです。

どんな状態でも、完璧な状態だと考えてクリーニングするのです。そのことに気づかない人が、「不完全だ」という先入観にとらわれているだけなのです。しかし、そういう人たちでも、ゼロになって患者を診察したら、病気だという診断は出ないはずなのです。

子供と親の関係がよくなる ホ・オポノポノのクリーニング

人見　いまお話しいただいたことは、とても素晴らしいと思うのですが、子供を育てるなかで、知識や躾など教育として教えこむことと、ゼロにすることのあいだにはギャップがあるように思えるのですが、子育てにあたって、どのように考えればいいのでしょうか。

ヒューレン　お母さんさえゼロでいれば、子供に必要なものは自然に与えられます。直感やひらめきが自然に降りてきて、自分のやるべきことをやるようになります。でも、お母さんが、「子供はこうすべきだ、ああすべきだ」と言ったら、子供はその記憶に閉じこめられて、自由に生きられなくなってしまいます。

ある女性から、息子さんがマリファナを吸って困っているという相談がありました。

そのお母さんが、〝息子がマリファナを吸って困る〟という状態にいつづけたら、子供はずっとマリファナを吸いつづけます。でも、お母さんが〝息子がマリファナを吸って困る〟という考え方を手放せば、子供は自然にマリファナを卒業します。

お母さんはみんな、〝息子がやめてくれれば〟と思っていますが、それを手放せばいいのです。自分が手放したら、息子さんは勝手にマリファナはやめてしまいます。

人見　母親は、自分のお腹から出てきたものに対してものすごく執着があると思います。でも、子供の成長とともに、子供をコントロールしたいという気持ちを手放さなければなりません。とくに思春期などは、いろいろな問題を通して母親を成長させてくれるのかもしれませんね。

ヒューレン　簡単に言ってしまえば、子供は母親に課題を与えるために存在しているのです。

それに母親が本当に気づいたとき、子供は子供の役割を終えることになります。母親は母親で、子供は自分に課題を与えるために存在しているのだと気づけば、そこでゼロになります。

子供に対する一番いい方法は、妊娠する前からクリーニングしておくことです。これにより、自分にとってもっともふさわしい魂が現れてきます。お母さんの人生に天使が現れるのです。

天使として生まれたら、子供はお母さんに問題を与えません。しかし、みんな天使としては現れなくて、たいがいは問題を与える子供を授かります。子供のことで悩む親はとても多いのです。

子供にクリーニングの仕方を教えておけば、親はかなり楽になって、ゼロに戻れるようになります。私も、娘がクリーニングをしはじめたので、だいぶ楽になりました。

親は親で、子供は子供でクリーニングすると、よりよい関係になります。私も依存がだいぶとれたような気がしています。お互いに干渉しない関係になりつつあります。

お母さんが自由になると子供の引きこもりなども解決する

人見　ＮＰＯ法人全国引きこもりＫＨＪ親の会によると、日本には引きこもりの子供たちが１６０万人もいるそうです。部屋に閉じこもって出てこないのです。そういうことに対して、お母さんはクリーニングするだけで大丈夫なのでしょうか。

ヒューレン　引きこもりを解消するためにお母さんがいくらクリーニングしても、そういう現象自体はすぐには変わりません。

しかし、お母さんが自分のクリーニングをすると、子供が閉じこもっていてもお母さんがそれに反応しなくなるので、子供はそれを自然に感じとって自分の行くべき場所へ、自分で行動しはじめます。お母さんが自由になった姿を見て、子供はもっと自由にしていいんだと思いはじめるのです。

このようにホ・オポノポノは、クリーニングした人にだけいいことが起きるというものではなく、自分をクリーニングした結果、みんなにいい影響が与えられるものなのです。

人見　何かをするためにこうしたいと、人間は思いがちなものですよね。それは、エゴなのでしょうか。

ヒューレン　ホ・オポノポノでは、エゴというものの存在は考えていません。何かをこうしたいと思うような欲求は、ただ記憶が再生されているだけなのです。

ただし、クリーニングするにあたっては、何かをこうしたいという動機でしてはいけません。純粋な気持ちでしなければならないのです。何かをこうしたいという思い自体が記憶によるものだからです。

私たちの意識は、二つの状態でしかいることができません。すなわち、インスピレーションを受けている状態か、もしくは記憶に左右されている状態かです。

インスピレーションを受けているときというのは、ゼロの状態です。記憶は知識をもたらし、それによって欲求が出てきたり行動を起こしたりしますが、インスピレーションを受けているときは考えずに自然に行動します。

先に、洞爺湖サミットの話が出ましたが、サミットで話し合われるような内容はすべて記憶によるものです。彼らは人を変えようと思っていますが、自分から変わろうと思っていません。だったら、私たちがホ・オポノポノで自分を変えたほうが、早く世の中がよくなります。

建物や部屋、動植物にもすべて尊厳なる意識がある

高岡　ヒューレン先生は、建物や物にも、自分でクリーニングするように教えているとのことですが、具体的にはどのようになさっているのですか。

ヒューレン　そういうときは、深い愛と尊敬をもって、まず建物に聞いてみます。たとえば、次のように心の中で語りかけてみるのです。

「もしあなたが望むのであれば、純粋な状態にするお掃除の方法があります。よろしければ、その方法をお教えしたいと思います」

　このようにしてまず承諾を得て、相手がそれを望んでいて「教えてください」と答えると、まるで聖なる水が全部やさしく洗ってくれるような状態になります。

　いま、私たちがいるこの部屋に語りかけてみたら、「ちょっとでいいですから、生のお花がほしい」と言いました。毎日、ちょっとでいいからほしいそうです。

　植木を置くといいかもしれませんね。

人見　切り花でなくていいのですか。

ヒューレン　植木だったら、ちょっと枯れはじめたら「何か言いたいの？」と聞いてみたり、活き活きしていたら「喜んでくれてるね」と声をかけてみたり、自然に植物と会話が始まりますからね。

　私は、「アイスブルー」と言って植物に触れるようにしていますが、そうすると悲しさとか痛みの記憶を消してくれます。植物がそういう記憶をクリーニングしてくれて私を癒してくれるのです。

植物は、マッサージやカイロプラクティックに行くより、ずっと簡単に私を癒してくれます。私たち人間が触れることのできない部分で癒してくれます。

植物によっては、特別な能力をもっているものもあります。

たとえば、百合です。

この花は、死に対する記憶を消去してくれます。ですから、たとえば身内で誰かが亡くなって悲しいとか、誰かが死んでしまいそうだという心配があったりとか、死に対する恐怖がある場合に癒してくれます。

百合に「お水をいただきます」と言って、百合の花から水を飲むイメージをすると、そういった記憶は消去されます。

植物は、このようにして癒してくれるものなのですが、私たちはそういうつながりをなくしてしまっているのです。

ですから、この部屋に花を置くことは、私たちのためにもいいことなのです。

２００８年3月に大阪でホ・オポノポノのセミナーがあったのですが、その週に京都に行きました。桜が咲いていて、京都の人たちは〝自然〟と一緒に生きていると感じました。

日本人は、そういった自然とのつながりをいまでも残しています。

これは、とても大切なことです。

もし育てるのが大変だったら、桜の写真を撮って、その写真の上に手を置くだけでも、つながることができます。

ペットを飼っている人は多いと思いますが、動物は植物とは違うところがあるので注意してください。

自分がクリーンでないときにペットに触るとペットが病気になってしまうので、自分をクリーンにしてから触れるようにしなければならないのです。たとえば、「アイスブルー」と言って自分をゼロの状態に整えてから触れてあげるようにしてください。

こういう関係は、動植物とだけのことではありません。先にお話ししたように、建物をはじめ、すべてのものが意識をもった存在なのです。

たとえば、車がしょっちゅう故障してしまうという人がいます。

これは、その車のオーナーが病気だから、車がそれを背負ってしまうのです。このような場合も、「アイスブルー」と言ってから車に乗ればいいのですが、そのまま乗ってしまうので、車が病気を背負う、すなわち故障を繰り返すことになるのです。

いろいろな道で感謝の気持ちにたどり着くことができる

高岡　だいぶ前でしたが、ふっと自分の過去世の記憶がおぼろげながら蘇り、当時の自分がとても恩知らずだったことを思い出しました。その過去世での私は、愛情をもって育ててくれた人に感謝するどころか、平気で罵倒するような人間でした。

　そのことを思い出したとき、心の底から「ごめんなさい」という気持ちが湧き上がってきました。「私のためにいっぱい尽くしてくださって、ありがとうございました。大切に慈しんでくださったにもかかわらず感謝するどころか罵倒した私をどうか許してください」、さらには過去世においてかかわったすべての人たちに「ありがとう」と感謝する気持ちになり、と同時に「出会ってきたすべての方が幸せになってほしい」という思いが湧き起こりました。そのときはまだホ・オポノポノを知りませんでしたが、何かの導きで自然とホ・オポノポノと同じようなことをやったのだろうと思います。

　また、私は20代の頃は体が弱くて年がら年中、体が重かったのですが、いまから思うと、過去世でいっぱい恩知らずなことをしたり、知らずに人を傷つけていたりしたからかもしれません。しかしその後、自然に体が丈夫になって運が開いてきました。「どうしたらもっと幸せになれるのか」と、いろんな本を読みあさるなかで、浄化のようなことが自然に始まったのかもしれないと思っています。

ヒューレン　いまの話ですごいところは、誰かの指導を受けて気づいたのではなく、自分で勉強してわかったことです。

人はいろいろな道で探すことができます。いい指導者に出会えることもあれば、そうでないこともあります。しかし、その人にふさわしい方法で気づく場が必ず与えられるものなのです。

ホ・オポノポノを実践する私たちの仲間には、メンバーシップのようなものはありません。私たちが伝えているものを、皆さんはすでに受け取っています。何をしたらいいかについてはすでに知っていることを前提にメッセージを伝えているのです。

なかには、私たちのセミナーに参加したらいい答えを教えてくれるのではないかとか、一種の宗教のように考えて参加する人たちもいますが、私たちはそういうことはいっさいしません。

こういうことをずっとやってきましたが、そのなかで参加してくれた人たちからも、私たちからも、お互いに自然にありがとうという言葉が出てきます。

高岡さんも、ご自身でそういう経験をなさったんでしょうね。

体に重さを感じたりするのは、いわば借金を抱えている状態なのです。魂の借金、すなわち記憶の量が重さとして表れているのです。ですから、体が重く感じたら、魂の借金が増えていると思って、クリーニングしなければなりません。

親に愛されなかった、きちんと扱われなかったという思い

人見　私は子供の頃に父と母が離婚して、ずっと母子家庭で育ちました。少女時代には、とても苦しいことが多くありました。

20歳のときに、愛情を感じている母に、「あなたは生まれてくるべき子供じゃなかった」と言われました。とてもショックを受けて、その言葉を撤回してほしいと言ったのですが、「本当のことだから」とあっさり言われました。

母がなぜそんなことを言って私を傷つけたのか、理由は母にしかわかりませんが、私は自分という存在を見失うことになりました。

もっとも身近な人から言われたことで、〝自分って本当は何だろう〟と、そのときはじめて悩みました。「私は誰？」という疑問を20歳のときから抱え込むことになったのです。

生きていることがつらくなって自殺したいと思ったりしましたが、これをきっかけにスピリチュアルなことに興味をもつようになりました。〝自分は何だろう〟ということを確かめるために20代の頃はマスコミにいて自分を表現してみたり、20代の後半にはインドに滞在して精神的なことを突き詰めてみたりもしました。

ホ・オポノポノを知ったときもなぜ私を傷つけた母を許さなければならないのか、母に対して「愛している」と言わなければならないのか、まずそれを考えました。どうしても、〝許せない〟という感情が出てきてしまうのです。

「ありがとう」「感謝します」は育ててもらっていますから言えるのですが、どうしても「ごめんなさい」とは言えないのです。

逆に、母から私に謝ってほしい、「ごめんなさい」は私のほうが言ってもらいたいと思っていたし、「許してください」というのも悔しまぎれに口にするのが精一杯でした。

ヒューレン　「ごめんなさい」「許してください」というのは、お母さんに言うのではありません。自分の中の自分に、「ごめんなさい」「許してください」と言うのです。外に向かって言うのではないのです。

心の痛みのある部分をそっと抱きしめ、自分の魂の成長のために自分を許してくださいと言うのです。魂として成長し、自由になるための言葉なのです。

人を責めていると神聖なる存在からの光をさえぎってしまう

ヒューレン　人見さんの経験は珍しいものではありません。いろいろなところで、そういう話を聞いてきました。

でも、そういうことでお母様を責めるということは、記憶に閉じこめられている状態、すなわち潜在意識の中の記憶で神聖なる存在と超意識からの光を自らさえぎっているということなのです。お母様に対して怒りを感じるということは、無限に注がれている光に向かってブラインドを下ろしているのと同じことなのです。

そういうときは、お母様に対する思いをクリーニングすることによって、神聖なる存在に逆らわなくてすむようになります。そういう思いを手放して記憶を消去すると、自然にインスピレーションが得られるようになります。

お母様のためにするのではなく、自分のためにするのです。

私は、子供を愛せないという親のワークもいろいろしてきました。親だからといって子供を愛するということが当たり前ではないのです。しかし、それはしようがないことです。なぜなら、その人たちも記憶に操られているからです。

しかし、それを手放すことによって悟ることができます。こういう悩みや問題は、私たちに悟る機会を与えてくれているということなのです。問題があるということは記憶に閉じこめられているということですが、怒り、抵抗、闇を手放せば、神の体験をすることができます。でも、なかなか難しいことです。

この記憶はお母様に対するかたちで出てきていますが、実は男性の女性に対する暴力や虐待など、さまざまな過去の問題が混ざった記憶です。いろいろな記憶がどんどんくっついてしまった結果なのです。

しかしいま、人見さんが話してくれたことによって、みんなでそういう問題を分かち合うことができて、クリーニングすることができました。１００万あるうちの一つの問題を人見さんが代表して話してくれたことによって、みんなが楽になったのです。

あと、慢性的に頭が痛い人も家系的な問題を抱えていることがあります。しかし、クリーニングしたら、自分のやるべきことをちゃんと探せるようになります。

みんな、どこかで親から愛されなかったとか、ちゃんとした扱いをしてもらえなかったという思いはもっているものです。

子供たちも本当は素晴らしい可能性をもっているのですが、さまざまな記憶によって家庭や学校という枠の中に押し込められ、自分らしく成長できなくなってしまっています。さらに、家庭も問題を抱え、学校も問題を抱え、地域も問題を抱え、社会も問題を抱えというように、このような記憶は連鎖していきます。

人見さんは、いま胸にダイヤモンドのネックレスをしていますね。そのダイヤモンドを触ってあげると、お母さんとの問題はだいぶ楽になりますよ。

神聖なる存在がそのダイヤを与えてくれているのです。ダイヤモンドはカットされていますが、過去の古い記憶まで全部カットしてくれるのです。しかし、すべての人がダイヤモンドを触って効果があるわけではありません。

それでも、人見さんがダイヤモンドを触ってくれたら、周りの人たちが自然にクリーニングされます。

抑圧された女性の記憶が、乳がん、前立腺がんとなって表れる

人見　ヒューレン先生は、「これからは女性が輝く時代だ」とおっしゃっていますが、いまなぜ女性なのでしょうか。

ヒューレン　私には、いまの質問の本当の声が聞こえました。この質問の言葉の奥にある本当の意図は、ご本人はまだ気づいていないかもしれませんが、「女性はどうやって本当の自由を獲得できるのでしょうか」という質問です。

どんな生き物も、自由がほしいのです。どうして自由がほしいかといえば、自由の中にこそ悟りがあるからです。

人類の長い歴史の中で、男性は女性の尊厳を認めてきませんでした。「女は黙って従っていればいい」という男性優位の考え方です。収入の面でも大きな違いがありますし、一

般に女性は家事労働や育児にも時間をとられてしまいます。

このような男性優位の歴史の中で、男性は女性を物を所有するように扱ってきました。

しかし、女性たちが家事や育児や老親の世話など、忍耐の必要なことを黙々としてきてくれたからこそ、世界が成り立ってきたということを忘れてはなりません。本当に時代が変化したり、大きく歴史が動くときには、その陰に必ず女性の存在があったのです。

たとえばギリシア神話ではヘラ、アテナ、アフロディーテの争いが戦争を引き起こしています。日本の歴史でも、表面に出ていなくても、歴史的な大事件や大変化の背景には、なんらかのかたちで女性が絡んでいたと思います。

実は、女性が実権を握っているのです。表面的には所有されているようであっても、実質的に世の中は女性によって動かされているのです。世の中を支配しているのは女性かもしれないのです。

女性の存在、女性の働きに、男性はもっと感謝しなければなりません。それなのに、これまで多くの女性たちが、まるでお手伝いさんみたいに扱われてきたのです。

私が、週１回コンサルティングを行うハワイの男性がいます。

彼はいくつも会社をもっているのですが、ある問題が起きて、どの役員に相談しても解決できないことがありました。そのとき、彼の知り合いが、「その問題を解決できる女性がいるよ」と彼に言ったのです。しかし、彼はその話を聞き入れませんでした。

そうしているうちにも、会社の売上げはどんどん減少していきました。彼は女性に頼りたくなかったのですが、万策尽きて彼女に電話することにしました。電話をしたら、その女性は彼の会社を訪ねて、彼に何かを伝えて5分後に帰っていきました。

彼の会社の優秀な役員が誰も解決できなかったことを、その女性はたった5分で解決してしまったのです。

私のクライアントの個人的なことなので、どんなことをその女性が言ったかはお話しできませんが、彼はしようがなく彼女を採用することにしました。そして一つの部門を全部任せました。そうしたら、その部門は彼の会社の他の部門すべての売上げの4倍から5倍も成果をあげるようになったのです。

このように、女性をもっと解放して意見を取り上げるようにしたら、素晴らしい結果を出すことができます。

しかし女性は、本来もっている尊厳を十分に表現したり、発揮する場所が少ないので、時としてその怒りが乳がんとなって表れます。女性の乳がんの原因の多くは、怒りの記憶なのです。また女性の怒りは、男性には前立腺がんとなって表れます。前立腺がんは、女性の怒りの記憶が原因である場合が多いのです。

　このように、女性の尊厳を認めず、欲望の対象や所有物としか見ない考え方が、男性も女性も幸せになれない世の中にしてしまっているのです。

　日本は地震の多い国ですが、日本の女性は記憶として抱えている怒りがとくに大きいので、それが大地の揺れとなって表れているのです。女性を敬い、愛をもって接し、もっと尊厳を認めたら、地震は減少することになります。

家庭内暴力も戦争も自分の問題、ただただクリーニングすればいい

高岡　自分自身もそうですが、家族、職場、地域、国、世界、そして地球環境と、それぞれ問題を抱えています。

　電車で通勤するとき、たくさんの家が見えます。そこに住んでいる人たちは、笑ったり泣いたり喜んだり苦しんだり、たくさんの思いをもって生きているでしょう。さらに、ア

フリカでは飢餓で亡くなっている人が大勢いますし、日常的に拷問が行われているところもあると聞いています。

飢えや渇きの苦しみ、虐待や暴力を受けることによる肉体的な苦痛などを考えると、あまりにも大きいものがのしかかってくるような気がして、自分ひとりではどうにもならないという絶望を感じてしまいます。

ヒューレン　いま感覚としてとらえていることは、すべて過去に体験していることです。そう感じるということは、輪廻転生の中であなた自身がそれを体験してきたということなのです。経験していないことは感じられませんからね。

そういう記憶が、潜在意識の中に蓄積されているのです。これらの記憶を消去しないかぎり、同じことの繰り返しです。

絶望的な感覚というのは、私もわかります。その感覚も感じます。

私がやるべきことは、クリーニングです。ゼロにすることです。

私は世界中を回ってホ・オポノポノの講演をしていますが、いろいろな人にお会いするなかで、多くの人たちがこういったことに気づきはじめていることをひしひしと感じます。

そういう人たちがクリーニングの仕方を覚えて実践してくれるので、自分ひとりではないという希望を感じています。

高岡　私が痛ましく思うことの一つは、子供たちへの虐待や暴力です。そういったニュースに接したり、そういう場面に出くわすことがとてもつらいのです。

この世界から、すべての拷問とすべての虐待、臓器売買のために子供を殺すことなども含め、あらゆる暴力がなくなる日がくればいいと、いつも思っています。

ホ・オポノポノでは、ひたすら自分の内側に向けて「ありがとう。ごめんなさい。許してください。愛しています」と言いつづけることになりますが、本当にそれをやっているだけでいいのでしょうか。

ヒューレン　自分自身で常にクリーニングしていたら、そういう場面には出合わなくなります。

虐待や拷問などの暴力が怖いという記憶をクリーニングすることによって、暴力にまつわる記憶が薄れ、その結果、暴力を受けている子供たちや人々も自由になるのです。

そういうことが起きているのは、そういう記憶があるからです。その記憶が再生されて虐待や拷問などが起きているのですから、その記憶を消去すればそういうことは起きなくなります。

幸い自分にとって虐待や拷問などの暴力は縁がないと思っている人たちも、表面意識に表れている記憶の100万倍の記憶が潜在意識の中にあるので、自分が気づいていなくてもその影響は受けています。

そしていつ、その記憶が自分に影響するかわからないのです。

いま、質問があったので、私はその記憶をクリーニングしました。このようにクリーニングを続けることにより、大勢の人たちが暴力から救われることになるのです。

何千年と続いてきた男性に対する女性の恨みの記憶を消す方法

高岡　お恥ずかしい話ですが、私の家では長年、夫が信じられないような汚い言葉を日常茶飯、口にしています。いまは私自身、だいぶ気持ちに余裕が出てきましたが、1年前、半年くらい前までは、それがいやでたまらず、時に憎悪すら感じることがありました。

ホ・オポノポノを知ってから、何度もトライしたのですが、ホ・オポノポノのやり方がまずいのか、まだやり方が足りないのか、なかなか状況は変わる気配がありません。

それでも忍耐して続けなければならないのか、それほど私の記憶は根深いものなのか、投げ出さないで続けるには、どんな方法があるのか、教えていただきたいと思います。

ヒューレン　いまの話は、みんなでクリーニングしながら聞きましょう。なぜなら、いまの話は私たちみんなにかかわる問題だからです。

ご主人も努力しているはずですが、どうすることもできないのです。ご主人の中にそういうプログラムが、入ってしまっているからです。ご主人は、自分が思ったことを言っているのではなくて、記憶にプログラムされているから、暴言を吐いてしまうのです。

この本で一番伝えたいメッセージは、一人の問題はその人だけのものではなく、みんなの問題だということです。〝これは誰々の問題だ〟というように分離するのではなく、一つなのだということを伝えたいのです。その情報が伝われば、すごく前進します。

夫婦間の問題について、「それは彼女の個別の問題だ」と言ってしまったら、何も変化は起きません。こういう記憶は、何千年と続いてきたのです。

「ゴルディアスの結び目」という言葉があります。アレキサンダー大王が剣で断ち切ったがんじがらめの結び目で、これを解いたらアジアの王となるといわれていたものです。結び目は固く複雑で、アレキサンダー大王が現れるまで誰も解けなかったのです。

このゴルディアスの結び目のように、男女の問題は複雑に固く絡まっています。

ここに、消しゴムがついている鉛筆があります。

その鉛筆で、紙に円をぐるぐると描きます。きれいに描く必要はありません。何回も何回も、ぐるぐる鉛筆を回して円を描きつづけます。そして次に、鉛筆の頭についている消しゴムでそれを消します。

潜在意識の記憶は、この鉛筆で描いた線のようなものです。頭についた小さな消しゴムでこれを消してもなかなか全部消すことはできません。しかし、全部消さなくても、線を断ち切ればいいのです。

私たちの潜在意識の記憶も、この鉛筆で描いた何重にも絡まった円と同じです。すぐに全部消すことはできませんが、意識的に「ありがとう。ごめんなさい。許してください。愛しています」という言葉を口にするたびに、神聖なる存在から注がれた光が少しずつ記憶を消していってくれます。

表面的には何も変わっていないようでも、潜在意識の中の変化はとても大きいです。それが感じられないのは、表面意識では潜在意識の100万分の1しか認識できないからです。

ですから、四つの言葉を口にするたびに少しずつクリーニングされているのですが、消えているように思えないのです。女性の男性に対する恨みの記憶は、とても根深いものです。本文で説明しましたが、乳がんもそうです。しかし、言葉を唱えるたびに確実にクリーニングされています。

自分のインナーチャイルドを慈しむところからすべてが始まる

高岡　怒りや憎しみ、嫉妬などの感情が湧いてきたときは、その感情に対して、「ありがとう」「愛しています」と言えばいいのでしょうか。
たとえば、すごいヤキモチをやいてしまったような場合は、「ヤキモチさん、ありがとう。あなたが好きよ」と言えばいいのですか。

ヒューレン　イエス・キリストは、「汝の敵を愛しなさい」と言いました。すなわち、ヤキモチや妬みを愛しなさいということですから、そういった感情が湧いてきたときには「愛しています」と言えばいいのです。

ただし、私は個人的には少し違うやり方をします。

たとえば、怒りの感情が出てきたときには、その怒りはなんだろうと、自分を見つめます。そして、自分のインナーチャイルドに、次のように話しかけるのです。

「私たちがなぜこのことで苦しんでいるのかわからないけど、これは手放そう。愛しているよ」

そういう感情が起きることによって一番苦しんでいるのは、インナーチャイルドなのです。ですから、まず「いつも一緒だよ、一緒に何かをやろう」と言ってあげるのです。

私が意識していないことがいま起きているとしたら、私がわからなくてもそのことを手放してくださいと、インナーチャイルドに頼みます。

高岡　先生は、ご自身の中で常に対話なさっているようですね。また、建物などに問いかけたりもしていらっしゃいますね。一方的に何かをするのではなく、必ず話しかけて相手の声に耳を傾けていらっしゃるのですね。

ヒューレン　そうです。たとえ招待を受けて行った先だとしても、建物や場所に承諾してもらわないと、事が進まなくなってしまうのです。

招待されたときなど、まず住所を聞いて、どんな人と会うのか、どういう部屋か確認して、事前にクリーニングしてから訪ねるようにしています。

さらに、その場所に着いたら、まず建物に挨拶して承諾を得るようにしています。

物事はクリーニングしてから始めないと、それぞれの人の潜在意識の中に違う記憶が入っていて対立し、何もまとまらなくなってしまいます。表面的には意見が合っているように見えていても、潜在意識に葛藤があるということもよくあります。

みんなの意見がまとまって、いざ実際に何か始めようというときになって問題が起きるのは、潜在意識のレベルで合意ができていないからです。

高岡　会社で会議をする場合なども、同じことでしょうか。

事前に、メンバーの名前を思い浮かべながら、「クリーニングさせてもらってもいいですか」と問いかけて、ＯＫをもらえたらクリーニングするということでしょうか。

ヒューレン　まず大切なのは、会社そのものがクリーニングされた状態でなければならないということです。ものを扱うのも、人を扱うのも、同じなのです。

完全にクリーンな状態で会議に出席したら、透明人間のようにしていられます。建物もないし、ほかの人もいないし、欲求もなければ、記憶もありません。ゼロの状態で、すべてが家族のように一つになります。

心はこもっていなくてもいい。ただ機械的に心の中でつぶやくだけ

高岡　ホ・オポノポノを実践するときに突き当たる壁は、なかなか素直に言葉が出てこないことです。実感を伴わない言葉をうわべだけつぶやくことに抵抗を覚える人もいるのではないでしょうか。

ヒューレン　その気持ちはとてもよくわかります。

でも、本当に心の底から、「愛しています」とか、「ありがとうございます」とか、言わなくてもいいのです。

同じような質問が、ロサンゼルスでセミナーをやったときによく出てきます。ロサンゼルスは、エンターテインメントが盛んなところですから、俳優さんが多いのです。「そういうときは、感情をこめてやらなきゃいけませんか」とよく聞かれるのですが、そんな必要はありません。

「汝の敵を愛しなさい」という言葉がありますが、ここで言っている愛は、最初から心の

底から愛しなさいということではなく、まず受け入れて次に愛しなさいということなのです。ですから、言葉で言うだけでいいのです。

コンピュータで、デリート（削除）のボタンを押すときに、感情をこめてボタンを押すような人は誰もいません。ですから、デリートボタンを押すように、ただボタンを押すだけのことです。ただ、機械的に言葉を心の中でつぶやけばいいだけです。

高岡　ただ、するだけ。とても重要なポイントですね。

ヒューレン　問題はいずれ気がつかないうちになくなって、何年後かに、そういえばそういうことがあったなということになるかもしれません。

私の祖母はアルゼンチンにいますが、尾骶骨《びていこつ》に問題があって、医師が手術をしなければならないと言ったそうです。私はその話を聞いてずっとクリーニングを続け、祖母にブルーボトルを送りました。

いまでも、祖母はブルーソーラー・ウォーターを飲みつづけているそうですが、いつからその痛みが止まったかは本人が忘れているくらい無意識になっています。

私が高岡さんだったら、なかなか暴言をやめないというイライラをまず最初にクリーニングします。それと同時に、期待もクリーニングします。自分がクリーニングしたら彼がよくなってくれるはず、という期待をクリーニングしなければなりません。

ひとつ、こういうクリーニングの方法を試してみてください。

自分の中で起きているモヤモヤした原因をすべて自分の肉体と魂から手放したいと意識しながら、そういったものすべてをトイレに流すことをイメージするのです。トイレを流すハンドルは手で押すものではなく、足で踏みつけるものをイメージしてください。

全身から不必要なものをすべて洗い流しているんだと意識しながら、何度も何度も足で踏みつけて、水を流しっぱなしにするイメージです。

コンピュータのデスクトップには「ごみ箱」があります。そのごみ箱にたまったものを完全に消去するためには、もう一度ごみ箱の中のごみを捨てる操作をしなければなりません。それと同じように、ごみのような記憶をもう1回トイレに流してしまうのです。

コンピュータのごみ箱は1日に1回か、気づいたときに消去すればいいのですが、潜在意識のクリーニングは常にしつづけなければなりません。

しかし、仕事をしていたらそんなことはできませんから、自分のインナーチャイルド、潜在意識に自分で気づいていないことも含めて消去するよう教えてあげればいいのです。

デスクトップのごみ箱をクリックして「ごみ箱を空にする」をクリックするところまで教

えてあげるのです。

こうやって潜在意識にプログラムすると、記憶は自動的に消去されるようになります。

日本人は世界を救う食品を開発する役割を担っている

人見 サブプライムローン問題で世界経済も大変な状況ですが、食糧難も、とても大きな問題です。とくに日本は、食糧自給率が39パーセントと低く、これからどうなるか心配です。

ヒューレン 本来、食糧不足とか、そういうことはありえません。自分自身の記憶の中に飢餓があって、それが投影されるから、食糧難が起きるのです。

本来は、無限の豊かさしかないのです。

ですから、自分でクリーニングしつづけるしかありません。すべては自分から始まり、自分で終わるのです。

いずれ、食糧の問題は日本人が解決することになるでしょう。

日本には昔、龍がいました。龍は何も食べずに空気だけで生きていました。日本人は、そういう精神を受け継いでいて、そういうことが遺伝子の中に情報として入っています。

このＤＮＡに組み込まれた能力によって、日本人はこれからの時代の食物をつくる力が与えられているのです。

食べ物には、素晴らしい力が秘められています。

たとえば日本人は海老をよく食べますが、海老を食べるとアルツハイマーやボケの問題があるという記憶を消去してくれます。

まだ、日本人が開発するこれからの時代の食物が具体的にどのようなものになるかはわかりません。

健康食品には記憶からつくられたものと、神聖なる存在からのインスピレーションによってつくられたものがあります。インスピレーションによってつくられた食品には、記憶を消去する力があります。

そういう食べ物ができたら、たとえば遺伝病や難病などもなくなってしまいます。さらに呼吸の大切さがわかれば、きわめて少量の食物だけ食べて生きていけるようになります。当然、肥満など考えられません。糖尿病や心臓病もなくなります。

妊娠前の女性が食べると元気な子供が生まれ、老人になるまで食べつづけることによって、死が悲しいものではなく、おめでとうと言えるような、強い生命力を備えた食品です。医療保険制度は各国の財政を圧迫していますが、こういう問題も解決してしまいます。

さらに、この食品の登場により、正しい人、正しい会社、ふさわしい植物、ふさわしい土地が現れて、ふさわしい経済の時代が訪れます。そして無用な争いをすることもなくなって、地球ははじめて本当に平和な時代を迎えます。

食物の生産こそ、本来の日本人の役割なのですが、いま日本は自動車や電機製品をつくるのに忙しくて、そういうことに気づきません。ホ・オポノポノのような本当のことを学ばないで、人間が記憶だけでつくりあげた教育が行きすぎたのかもしれません。

私はいつも、自分の中にあるどのブロックが邪魔して日本人がそういう産業にもっと力を入れないのだろうかと見ながらクリーニングしています。

日本人の誰がそれを実現するかはわかりませんが、奉仕や社会貢献をしている人の中から出てきます。そういう人格の人でなければ実現できないのです。

しかし、大勢の人が活発にクリーニングしつづければ、やがて自分の役割に目覚める人が出てきます。自然に、そういう時代になっていくのです。

付録　体験談
ホ・オポノポノで開いた素晴らしい人生の扉

不幸のどん底から幸せの頂点へ――私のホ・オポノポノ体験

グローハワイ社長
オリロ・パア・フェイス・オガワさん

15年前の私の人生がどのようなものだったか聞かれたら、その頃の私はストレスだらけで、怒り、失望、恐れでいっぱいいっぱいの状態だったと答えるでしょう。生活に必要なお金さえままならない状況に、常に頭を悩ませていました。私はシングルマザーで、ひとり息子を自分だけで育てていて、常に自殺してしまいたいという気持ちを抱えていました。16年間、シングルマザーを続けるのは容易なことではありません。当時、私は自分を見失っていました。胸の内では悲しみ、不安、失望といったネガティブな思いが常に渦を巻いていていました。

その頃の私は、目覚めていない状態だったのだと思います。いま振り返ってみればわかるのですが、当時の私はためこんだ記憶の中から、多くの有害な思いを繰り返し再生していたのです。

息子の存在や息子との時間を楽しめず、喜びを感じることもありませんでした。毎朝、目が覚めると「ああ、また苦しいばかりの一日が始まってしまった」と、ため息をついていたのを思い出します。

自ら自分の人生を終わらせようと思いはじめたのは、この頃からだったと思います。睡眠薬を飲もうか、息子が私の死体を発見することのないよう失踪してしまおうかなどと、どうやって静かに生涯を終えるかということばかり繰り返し考えていました。

朝起きることさえできなくなりはじめたとき、友人たちに死にたい気持ちを打ち明けました。みんな励ましてくれましたが、気持ちは変わりません。医師の助けを借りようと、病院に行くことにしました。

医師は抗うつ剤の処方箋を出してくれました。ところが、薬局に向かい、薬を出してもらおうと待っているあいだ、なぜか何人もの知り合いにばったり会ったのです。

最初に出会ったのは、私が勤めていたホテルの従業員の母親でした。彼女は私をすごくほめてくれました。

「息子は自分がこれまで仕えた支配人の中で、あなたが一番優秀だと言っていましたよ」

私は自分が立派とは、とても思えませんでした。喜んだふりはしましたが、ひどく落ち込んでいましたから、そんなほめ言葉をもらってもうれしいとも思えませんでした。

次に、また別の知り合いが通りかかり、温かい言葉をかけてくれました。まるで天使が人の姿になって、私が馬鹿なことをしたりしないよう守ってくれているようでした。

薬局で3人目の知り合いに出会いました。歩行器を押しながら歩いてきた彼女は、私に「お元気?」と声をかけてくれました。

私は、普段は誰にでも「元気ですよ」と答えるように努めていました。しかし、そのときばかりは、彼女を見つめながら「自殺してしまいたい気分なんです」と答えていました。

呆然とした彼女は、強い口調で次のように言いました。

「とんでもない。お願いだからそんなことはしないで。私の弟が2年前に自殺したの。2年たってもいまだに弟の死を乗り越えることができないのよ」

そして、自宅に招待してくれたのです。

「お願いがあるの。息子さんを連れて今晩、食事にいらっしゃい。とびきりおいしくて元気の出る料理をご馳走するから」

食欲がないし面倒をかけたくないので断ったのですが、ぜひにと何度も誘ってくれるので、その言葉に甘えて、息子とともに素晴らしいお食事をご馳走になりました。

家に帰った私はバッグから抗うつ剤を取り出し、副作用に関する注意書きを読みました。何ものかが、私に薬を飲むなと告げているのを感じました。続いて、当時9歳だった息子に、自分が死にたいと思っていることを伝えなければという考えがふと浮かびました。

自殺したいという話をすると、息子はこう言いました。

「ママ、お願い。そんなことはしないで」

「どうして？」

「ママがそんなことをしたら僕はとても悲しいし、腹も立つからだよ」

自殺という考えを私が捨てるよう、息子は静かにそう答えました。

その瞬間、私ははっと目が覚めました。私はあまりにもうつ状態がひどく、息子に感情があるということさえわからなくなっていたのです。

その後、私は生き抜く決意をしました。しかし数年たっても、依然として私は目覚めていませんでした。そんなある日、ＳＩＴＨホ・オポノポノのトレーニングプログラムのことが耳に入りました。そして、私の中にある何ものかが、このトレーニングに参加するようにというメッセージを送っていることに気づいたのです。

トレーニングは、これまで私が受けてきたものとはまったく質を異にしていました。それまで私は、数々の自己啓発関連の本を読んでは幸せをみつけたいと思っていました。でも、この日受けたトレーニングほど、内容の深いものはありませんでした。

しかし、トレーニングを受けたとき、一組のご夫婦が私に対してとった態度のことで、私はあまりいい気持ちがしていませんでした。突然、私を避けるようになったのです。私は何をしたんだろうと悩みました。自分のあらゆる問題、不幸な状況をリストアップするエクササイズで一緒になったのがそのご夫婦だったのです。

そのうち、こういうトレーニングが受け入れがたい人たちがいることがわかりました。私は静かに座り、あらゆる学びを吸収しようとしていました。なぜか私には、トレーニングが身近に感じられたのです。私が失うものは何もなく、ただやればよかったのです。

数週間たった頃、1本の電話がかかってきました。あのご夫婦からでした。

「失礼な態度をとってごめんなさい。なんの理由もないのにあんなことをしてしまって。許してくださいますか？」

二人が電話をくれたことに、私は本当にびっくりしました。そして、このときから私は本気でホ・オポノポノを受け入れはじめたのです。

ホ・オポノポノを毎日続けるなかで、身の周りで起きる出来事がだんだん好転していくのを感じました。

当時、息子は10代でしたが、私は親として、息子にとって何が一番いいことなのかわかっているつもりでした。トレーニングを受ける前、よくこんなことを言っていました。
「私のほうが人生を長く生きているのだから、あなたにとっていいものが何なのか、親の私にはわかっているのよ」

しかし、ホ・オポノポノのトレーニングを通して、私は子供の自主性に任せることを学びました。人の心の中には、誰でもインナーチャイルドがいます。私の息子には息子のアイデンティティがあり、自分で描いた未来への設計図を心に携えています。ホ・オポノポノはまた、私の中のインナーチャイルドとどのようにかかわったらいいか、どうやって自分をむしばむ記憶を取り除くかも教えてくれました。

徐々に私は息子にあれこれアドバイスするのをやめ、ひたすら自分のクリーニングに専念するようになりました。

いま、息子はちゃんと上手くやっています。これも、彼の母親、すなわち私が、息子がインナーチャイルドと一致した生き方ができるように、彼の行く道をさえぎることをやめたからです。

クリーニングを続けると、どんどん気分がよくなりました。またシェフとして働きたいという気力が湧いてきました。かつては何時間も立ったまま調理をするのは大変だと文句ばかり言っていましたが、再び調理に喜びを感じるようになったのです。

クリエイティブなセンスが湧いてきて、プライベートシェフとして成功しはじめました。アメリカの有名ビジネス誌、『フォーチュン』誌500社の企業幹部、『フォーブス』誌のリストに載っている人たちが顧客になってくれました。どうやってこんな顧客がついたのかとよく聞かれますが、私はただクリーニングしていただけです。

ほとんどのレストランやシェフがメニューを用意していますが、私にメニューはありません。瞑想をして、それぞれの顧客やイベントに合わせてそのつど料理を創作します。時にはゲストがキッチンまで入ってきて、涙を流しながら私の食事に癒されたと言ってくれることもありました。

お陰で私は現在、シェフ、企業家、フードライター、食品会社経営者として成功を収めています。

最近のことですが、日本の食品会社からメールがきました。グローハワイの商品が気に入ったので、日本をはじめ世界中で売り出したいというオファーでした。こういう驚くようなうれしい出来事がたくさん起こるようになっています。

しかし私は、しゃかりきになってビジネスを広げようとは思っていません。完全なとき、しかるべきときに物事は起きるものだと考えています。

ホ・オポノポノについては、その浄化プロセスが非常に効率がいいこともわかりました。また、長時間働くのに必要なスタミナも与えてくれます。

さらに、仕事を一緒にするのが楽しくなるような才能あふれる人々が集まってきました。私が自分のクリーニングをすると、みんながまるで一つの幸せな家族のようになり、大変気持ちよく仕事ができるのです。

子供たちは神のイメージそのもの――私のホ・オポノポノ体験

メアリー・コーラーさん

ホ・オポノポノを始めて9年になります。私には子供が7人いますが、ホ・オポノポノのクリーニングプロセスのお陰で子育てがどれほど楽になったか、書いてみます。

ホ・オポノポノを始めてすぐの頃、当時8歳だった双子たちが喧嘩を始めたときにクリーニングしました。

それまで私は、喧嘩を止めるためにあらゆることをしていました。二人に話しかけたり、引き離したり、罰として閉じこめたり、ごほうびをあげたり、怒ったり、いろいろやってみました。しかし、ＳＩＴＨホ・オポノポノのやり方はとても簡単でした。静かな場所をみつけて座り、クリーニングするだけです。

クリーニングを何回もやっていくうちに、双子の喧嘩はだんだん減っていきました。また私自身、喧嘩にイライラしなくなりました。さらに、双子たちが私にこんなことを言うようになりました。

「ママ、放っておいて。自分たちで解決するんだから」

そのとおり彼らをおいてクリーニングに戻ると、いつのまにか双子たちは自分たちでちゃんと解決しているのです。

いつか、友人が私に言ったことがあります。

「私、親としてどうしたらいいのか、最初の一歩がわからないのよ」

すごく心に響きました。「ああ、そのとおりだ」と思ったからです。

本当のところ、私も子供をどう育て、どう親として接したらいいのかわかっていませんでした。自分自身をどう大切にし、育てていいのかわからないうちは、子供の育て方などわかりません。

付録　体験談
ホ・オポノポノで開いた素晴らしい人生の扉

私自身を大切にし、守りはじめると、子供たちをどう大切にし、守ったらいいのか考えなくてもできるようになりました。そして子供たちもどんどんよくなっていったのです。

ハワイの人たちに、すすめられたとおりです。

「まず（クリーニングを）あなたから始めなさい。次にあなたのパートナーとの関係、その次は子供たちとの関係、そして、ほかのすべてについてクリーニングしなさい」

この順番を忘れると、ちょくちょく問題が起きてしまいます。

息子の一人が、美しい葉書サイズの水彩画を描きました。その絵で私が一番好きなのは、子供たちの顔が描かれていないところです。描かれていない顔を見ると、子供たちのいまも、これからも、私が決めることではないということを思い出させてくれるからです。

私の望みは、神がご覧になるように子供たちを見ることです。一人ひとりを完全な何ひとつ欠けるもののない存在として見たいと思っています。

親の果たす役割については、数限りない考え方があります。親として、子供たちを型にはめたり、整えたり、導き、方向づけるべきだと言われることもあります。ときどき私も、アドバイスしたくなったり、子供に一番いいものは私がわかっていると思ったりしてしまいます。

しかしいま、私はこうした考え方が大きな間違いだと気づきました。それがどのような方向であっても、子供たちを導くのは私の仕事ではありません。

「何をしたらいいのかしら、親として」と思ったとき、私は何をしたらいいのでしょう。子供たちに何かあって、私が配慮する必要があるなと感じたときには、まず自分自身の内側を見つめて、自分が何をすべきか見出す方法をよくとります。私が何か行動したり、子供に何かしてあげたりする前に、自分自身のクリーニングをするのです。

これは、なかなか簡単にはできないことでしたが、繰り返しやっているうちに結果が表れてきたことに気づきました。

たとえば最近、年長の子供の一人が彼女とのことで悩んでいました。息子は、ゆううつそうでした。こういうとき、私はたいてい「どうしたの」と聞いてしまいます。でも、クリーニングしてみると、「ただ自分の内側を見なさい」という導きが聞こえてきました。

そこで自分自身を見ると、自分の人間関係に関していろいろなことが出てきました。高校や大学時代、私自身ゆううつで悩んでいた時代のことを再体験したのです。そのまま自分の内側を見て働きかけることを続け、息子に話しかけるほうがいいのか悪いのか、はっきりするまでやめませんでした。6週間ほど続けてから、私は息子をランチに誘いました。

息子は、いろいろ話してくれました。彼女との関係でどんなことで悩み、心配しているのか、また別れることになれば、これまでの数年間が無駄になってしまうような気がすること、彼女のことはどうでもいいような気がしたりすること等々。その間、私はただ黙って自分自身のクリーニングをしていました。最後に、息子は私をハグし、「ごちそうさま」と言って席を立ちました。

その日、あとで息子が電話してきました。ランチのあと、彼女に会いに行ったそうです。不思議なことに、彼女もそれまでと付き合い方を変えて、ただの友達になりたいと思っていたのだそうです。息子によると、それまでの人生でベストの別れ方だったそうです。

別の息子は、高校で陸上の円盤投げをやっています。コーチに円盤の理想的な投げ方は、心臓にリードさせることだと言われたそうです。ゆっくり肩を後ろに引き、心臓を軸に円盤を回転させるのです。これが正確にできれば、速いスピードで円盤を遠くまで飛ばせるそうです。

私がクリーニングしてみたら、私の体の他の部分がリードしていることに気づきました。頭を先に回して自分なりのやり方をしようとしていたのです。また、体でリードして先に進もうとしていました。記憶が先に出て、こうなるはずだと思い込んでいて、手放すことができないことがわかったのです。

息子を見守りながら、彼が練習するたびに私はクリーニングをすることで、私は手放すことができ、私自身も愛にリードさせることができるようになりました。

また、夫とともにする親業も、私たち二人が同じ側に立っていることが、とてもよくわかるようになりました。

ときどき、私はカッカして「自分が正しい。絶対、私が正しい！」というところにはまってしまうことがあります。しかし、クリーニングをすると、主人と私はどうも同じところに立っているらしいということがわかります。「いったい正しいのはどっちなのよ？」という疑問がやわらかくゆるんで、どちらも正しいという答えが浮かんできます。

私は、このプロセスに感謝するとともに、プロセスを通して安心感を得ることができ、親業を手放せたことに感謝しています。

7人の子供たちの絵を眺めると、何も描かれていない白いままの顔に筆を入れるのは、私の仕事ではないことを再認識します。私のすべきことは自分を見ることだけです。そうすれば、子供たちは大丈夫です。彼らの顔はもうのっぺらぼうではなく、美しく完璧な神のイメージそのものです。

希望に満ちたシンプルなメソッド——私のホ・オポノポノ体験

グリーンフォトン代表
佐倉直海さん

２００７年春、久しぶりの友人夫婦との再会でした。

日本に平和省をつくることを目指して活動している「平和省プロジェクトＪＵＭＰ」のミーティングの席上。戦争から家庭内暴力にいたるまであらゆる「争いごと」を、暴力に頼らずに「創造的対話」によって解決していく。そんな方法を提案し推進する政府機関「平和省」をつくろうというのが、「平和省プロジェクトＪＵＭＰ」の目的です。同時に、平和省の基本理念となる「平和の文化」を育て広めること。平和は「平和な心から」、というわけです。

代表を務めるパートナーのきくちゆみさんとともに環境や平和活動をしてきた森田玄さんが、米国で参加してきた「ホ・オポノポノ」という不思議な名前のワークショップの話をシェアしてくれたのです。

「ありがとう。ごめんなさい。許してください。愛しています」

たったそれだけの言葉で、世界が変わってしまうというのです！

メールではじめてホ・オポノポノの話を知ったときに強く惹かれたのも、平和をテーマにひとかたならぬ活動の実践をしてきた夫妻の手放しの絶賛ぶりがあったからでした。

2000年8月のグラストンベリーへの渡英以来、さまざまな平和活動にかかわるようになりましたが、平和活動の中にさえ繰り返し争いがあるのを見てきました。

「平和を愛する平和的な人」の内にある「傷」が、たぶんその原因なのです。

その「痛み」が平和活動へと向かう原動力でありながら、また争いを生むもととともなる、人と人とのあいだにあるジレンマ……。

夫妻のように広範囲な平和活動の現場をつくってきた人たちなら、おそらく数限りないそうした事例に立ち会ってきたことでしょう。また、それらの活動に責任ある立場で主体的にかかわってきた分、一番身近な自分たち家族にストレスが積もってしまうことも多かったはずです。

久しぶりに会った、ホ・オポノポノを語る二人のあいだには、ある種の静寂が生まれていて、何かが画期的に変わりはじめているのを感じました。それがホ・オポノポノのお陰

だったとしたら……、きっとそれは世界を変える力をもっているでしょう！

ちょうど、自分の中に絶対的な静寂（平安）をつくることからしか、何も始まらないと痛感していた時期でした。そう、それは間違いない。でもいったい、どうやって⁉

当時の私は迷いが多く、重い心身の不調を抱えていました。

「いったい、こんなに痛々しいトラブルが、どうして次から次へと襲いかかってくるのかしら⁉」と途方にくれていたのです。

家族に起きた大きな事件と、腕も上がらない強い痛みのために不眠は日常的でした。思考は低空飛行を続けるばかりで、仕事にも停滞と行き詰まりを感じていました。苦楽を共にしてきた仕事仲間とも、仕事上必要な調整すらつかなくなっていたのです。

事の発端は２００１年１月、「戦わない殺さないゲーム」制作を志す仲間たちと出会って投資家と結びつける流れとなり、半年がかりで制作プロダクションを設立。私は、十数年にわたってメーカーの商品企画や広告制作部門長の経験があったとはいえ、ゲームはまったくの門外漢でした。

会社設立直後は経営陣に入らず、公式サイト制作を一手に引き受けて独自のコンセプトや企画を組み立てながら、ほかにまったく前例のない環境ゲームのスキームづくり。コピーやシナリオ、アートディレクションとともに、小作品プロデュースの商談に邁進する毎日でした。

新会社では、とにかく塁に出なければ話になりません。1年足らずで第一次資金はあっという間に底をつき、全員解雇が言い渡されました。

しかし、その後も全員無給で奮戦し、2003年3月には「リズムフォレスト」をスタート。ゲームをすれば植林ができる世界初の試みが、成立したのです。

共同主催の国際協力NGOのオイスカ、富士通やニフティに足を運び、その協力で実現したのですが、全員無給の経営状態がわかればこの契約の第一歩すら成り立たなかっただろうと、いま思い出しても冷汗ものです。

よく言えば経営者不在に近い牧歌的な企業風土が魅力。優秀なクリエーターたちの存在と、全員の自発的モチベーションだけが財産でした。

その後、世界初の植林ができる携帯版「エコな音ゲー」など、話題提供コンテンツの企画・配信を積み重ねつつ、外部ブレーンの力を借りて足場づくり。2005年には、「植林拠点」を衛星画像ソフト、グーグルアース上にマッピングする「グリーン@Earth マッピング」ゲームのデモ版を徹夜続きで合宿制作。「愛・地球博」での発表と同ソフトが日

付録 体験談
ホ・オポノポノで開いた素晴らしい人生の扉

本解禁となるタイミングがぴったり重なり、「携帯から衛星画像マッピングできる環境コンテンツ」の第一歩を記す画期的なＩＴニュースとなりました。

２００６年2月には、日本でのシンポジウムのために来日したグーグル米国本社のグーグルアース開発者、マイケル・ジョーンズ氏が「グリーン@Earthマッピング・プロジェクト」の説明ムービーを見て、手を握り締めて喜んでくれました。

「こんなプロジェクトのためにグーグルアースをつくったんだ！ 協力するよ！」

これは、大きな力になりました。

同年の春には、3年連続気象変動ウォッチングプロジェクト、桜前線「さくらマッピング」をアースデイ東京との共催でスタートしました。

環境への世間の関心は徐々に高まっていましたが、洞爺湖サミットまではまだ2年。仕事の相棒もすぐれたセンスをもつＩＴコンダクターでしたが、環境に関心があるわけではないメディアアーティストです。「もったいない」で一躍有名になったワンガリ・マータイさんら「地球を愛する仲間たち」や「美しい地球の情景」の画像投稿に賛同してくださるプロカメラマンを一人で訪ね歩く日々でした。

紹介いただいた企業へのアプローチにも、反応はよくありません。２００７年初夏、環境へと雪崩を打つような動きが始まる直前のこと。２００５年から始まった家族の事件や八方ふさがりの状況に、重い心身を抱えて途方に暮れていたのです。

ホ・オポノポノと、友人夫婦の変化のきざしは、明るい突破口に見えました。「ヒューレン博士に会えばいいよ。素晴らしいよ！」と言う玄さんの言葉は、確かな安心への予感とともに、私の背中を強く押してくれたのです。

２００７年11月の来日初ワークショップに即刻エントリー。２日間のワークショップでしたが、そこで得たものは溢れるばかりの希望に満ちたシンプルなメソッドでした。

こんなに大きなプレゼントを受け取ることになるとは、思ってもみなかったほどです。「ありがとう。ごめんなさい」を口癖のように繰り返していました。「そうか、自分の責任だったのか」という気づき！　なるほど。

洞爺湖サミットに向けての、提言ネットワーク「２００８年G8サミットNGOフォーラム」に「平和省プロジェクトＪＵＭＰ」の仲間とともに前年より参加していた私は、71万人が参加した「１００万人のたんざくアクション」をサミット議長に託す首相官邸での会合に立ち会うことになります。「グリーン@ Earth マッピング・プロジェクト」も、次のプロジェクトへと結実しました。

２００８年は、「地球」が人類の共有テーマとなった地球規模での大きな変化の年。同年には、ホ・オポノポノ来日講演会を多くのご助力をいただいて連続主催し大盛況。博士が参加者に与えるミラクルな影響を痛感しました。いまは、年内出版が決まった本の執筆に追われています。

付録 体験談
ホ・オポノポノで開いた素晴らしい人生の扉

自分の心の中が自分自身の〝故郷〟——私のホ・オポノポノ体験

キャサリン・ミキさん

ブラジルでお世話になった先生方から、ヒューレン博士が愛・感謝・許しとともにハワイの精神病院の患者さんを治癒させたことを教えてもらい、ヒューレン博士とジョー・ヴィターリ氏の『Zero Limits』（邦訳『ハワイの秘法』）を読み切りました。さらに、ホ・オポノポノのウェブサイトを検索したところ、ヒューレン博士の来日講演の報告が掲載されていたのです。

すべての出来事が１カ月以内という短時間のうちに起きる偶然の重なりで不思議な気持ちでしたが、日本のホ・オポノポノのコーディネーターである平良ベティーさんのご配慮により、２００７年11月にホ・オポノポノのクラスを受講することができました。

はじめてヒューレン博士にお目にかかったときから、博士の謙虚さと素直さに大変感動しました。とくに、ホ・オポノポノの教えが、自分が経験している出来事について自分自身で責任をとることによって、自分自身を浄化していくことだと知ったとき、それまで抱えていた緊張感がようやくほぐれはじめたような気がしました。

私は幼い頃から、肉眼で見えないことなどに関する質問があまりに多く、両親や先生方に大変迷惑をかけていたからです。

さまざまな宗教や思想に興味をもち、一つ質問に答えたと思ったら、また次々質問が飛び出す子供だったのです。疑問が増えていくたびに混乱し、感情は激しくなる一方でした。落ち着いて考えて行動できなかったので、自分自身をひたすら傷つけ、周囲の人たちにも迷惑をかけていました。ふと自分の行動に気がつくと大泣きし、他人や自分を責めつづけ、最終的に罪悪感にさいなまれるのでした。このような混乱した生活を毎日続けるなかで、生きつづける気力も失い、この世から消えたい気持ちでいっぱいでした。

そのうち、いくら死んでもまた生まれ変わるので人生から逃げられないと知り、どのように自分を浄化するかを探し求めるようになりました。そして、さまざまな素晴らしい先生、本や芸術に触れるたびに、生きつづける力を与えられるようになりました。

ところが、弟が突然、亡くなったのです。家族中が思いを断ち切れないなかで、さまざまな方々と愛・感謝・許しを唱えつづけることにより、自分も家族も、精神的にも身体的にも助けられました。

しばらくして、両親と先祖の国・日本に留学する機会を得ました。一人で東京に住むことになったのですが、親しかった先生たちや友人たち、ブラジルでの芸術活動が非常に恋しく、身体も精神も衰弱してしまいました。

しかし幸運にも、ホ・オポノポノのクラスを受講して、自分自身がそれまで感じていた質問、経験、罪悪感をクリーニングすることができました。

それまで、自分が抱えていたストレスやうつは、自然環境の不足や大都会での生活などが原因だと信じ込んでいましたが、クリーニングをしつづけるうちに東京での生活が非常に魅力的に感じられるようになり、街並みを歩くたびに不思議に幸せな気持ちになるようになりました。

さらに、一般的に不可能だといわれる美術学校の入学試験についても、クリーニングのお陰で、素敵な場所で美術が大好きな人たちと一緒に学ぶことができるようになりました。

ホ・オポノポノを途切れなくしつづけるなかで、自分の闇、それまで無視してきた感情にしばしば出合いましたが、いやになったり責めたりするのではなく、愛と感謝を唱えることによって呼吸が楽になり、自分自身の面倒がみられるようになりました。

ホ・オポノポノが私にもたらしてくれたものは、本当に数えきれないくらいです。

その一つが、私が長年、あるいは前世から求めつづけてきた内なる平和です。

自分自身が経験したことに責任をとること、罪悪感などに根気よく愛情を注ぐこと、さらに自分自身を浄化しつづけることにより、幸福を感じることができるようになりました。

同時に、自分自身と仲直りするとともに、自分と家族、親族、祖先代々、そして日本との関係が調和していくのを感じるのが本当にうれしく感じられます。

私は、心の中で長年、〝故郷〟を探し求めてきました。

日本人である両親をもちブラジルで生まれた私は、日本とブラジルの両国で生活した経験がありますが、いつもどちらかの国を恋しく思っていました。しかし、クリーニングしているうちに素晴らしい人たちと出会う機会が多くなり、自分の心の中が自分自身の〝故郷〟であると感じられるようになりました。

ホ・オポノポノのクラスを受講するなかで、さまざまな芸術家や詩人などが伝えてきた

〝ワンネス〟に触れることができたような気がして、言葉に表現できないくらい平和な静けさを感じました。ヒューレン博士がクラスでクリーニングツールを示してくれるたび、質問に応じて私たちをクリーニングしてくださるたびに感動しています。

このような楽しい方法で自分の過去の経験の浄化ができて、さらに何か行動する前にクリーニングできるので、とても安心感があります。

最後に、あらためてヒューレン博士がいつも上機嫌で私たちにホ・オポノポノを教えてくださることを心から感謝します。そして、ヒューレン博士とホ・オポノポノを紹介し、私のためにクリーニングしてくださったさまざまな人たちに感謝を申し上げたいと思います。ありがとうございます。

クリーニングしてすべてを委ねて生きる――私のホ・オポノポノ体験

遠藤亘さん

私はヒューレン博士に出会えたこと、ＳＩＴＨホ・オポノポノに出合えたことを、とても幸せに感じています。

10年ほど前ある人から、次のように言われました。

「宇宙にはあなた、たった一人しかいません。すべてはあなたが創造したのだと考えてみてください」

「もしつらい体験をしているなら、このほしくない現実を体験しているのは、自分が何をもっているからなのかを自分自身に問いかけてください。問いかけるだけで、自分で答えを探さないでください」

それから間もなく、この方は亡くなられました。

それ以来、自分がすべてをつくり出すなら、現実をどのようにコントロールしたらいいのか悩んでいました。なぜ問いかけるだけなのかわかりませんでした。答えを探しつづけました。いらない現実を変えるために、捨てるべき観念を探しながら、新しい観念をつかもうとしていました。

2007年、インターネットで偶然（?）、「世界一風変わりなセラピスト」のページにたどり着きました。

「私は彼らを創り出した自分の中の部分を癒していただけです」

「あなたの人生への完全な責任とは、あなたの人生の中のすべてが、単にそれがあなたの人生に存在しているというだけの理由であなたの責任なのだ」

この文章を読んだ瞬間、〝長年探していたものがここにある〟と確信しました。

私はすぐに、ホ・オポノポノのベーシック1クラスの申し込みをしました。

クラス初日の朝、私が座っていると、後ろから私の肩に手を乗せ、「モーニング」と言って前へ歩いて行く人がいました。そのときはまだヒューレン博士の顔を知らなかったので、もしかしたらあの人がヒューレン博士なのかなと思っていました。

その後、2日間のクラスのあいだ、何度か私の横を通るたびに、ヒューレン博士は肩に手を乗せて通り過ぎていきました。

私は不思議に思い、最終日の帰り間際にそのことをヒューレン博士にお尋ねしたら、ヒューレン博士は「エンジェル」とおっしゃいました。

私は英語がわからないので、近くにいた方に通訳していただきました。

「あなたは天使です。あなたの体に触れることで私を浄化していただいた」

「これからも意識の勉強をしてください」

その言葉を聞いたとき、それまでの悩みや苦しみが救われたように感じ、心の中が晴れていくのが感じられました。

そして、大阪クラス、東京クラスと受講するたびにアドバイスをいただき、確実に私の中が変化していきました。私の中が変わると現実も変わります。

いま、ようやく気づいたことは、次のようなことです。

・私の人生のすべての瞬間において、自由になるための機会が与えられていた。
・これからも自由になる機会が与えられている。
・クリーニングがすべてである。
・選択は、クリーニングをするかしないか。
・私は何も知らない。
・私にはなんの力もない。
・すべては、神聖なるものがなせる業である。

私は、あらゆる瞬間、クリーニングをしてゼロに戻り、人生をコントロールしようと考えるのはやめることにします。そして、すべてを委ねます。

Ｌｏｖｅからの風を感じ、ただ行為する者として生きていきます。

毎日、意識は変わりつづけている——私のホ・オポノポノ体験

パトリス・ジュリアンさん

ホ・オポノポノは自ら探求するものではなく、必要な状況となったときにユニバースのようにやってくるものです。私のもとには、ある朝、メールというかたちでやってきました。読んだ瞬間、私は「ワウ！」と声をあげました。

「１００パーセント責任を負う」

すごいことですね。これは、意識のもっとも大きなシフトです。

どういうことかというと、自分の周りの宇宙すべて、戦争、問題、楽しみ、悲しみ……、それら全部が自分の管理するものだということなのです。

ほかには何もない。ただ、自分の世界をクリーニングするだけ。

宇宙のデータは自分のデータ、消去すれば自分の中の小さな声……神様と呼んでいる、あるいはブッダマインド、キリストの心など……この小さな声が一瞬一瞬で流れるのを実感します。

先のメールを受け取った頃は、日本ではまだホ・オポノポノのイベントが行われていなかったので、まずは本を取り寄せたり、ネットで検索したり、いろいろ資料を読み、この情報からクリーニングを始めました。

クリーニングの成果あってか、数カ月後、新しいメールが届いてヒューレン博士の日本における最初のワークショップの開催を知りました。

ワークショップに参加して、意識のシフトが続きました。

以来、毎日、私の意識は変わりつづけています。どんどんどんどんセルフアイデンティティの意味をより深く感じるのです。

I love you! I love you! I thank you!

南海の楽園の奇跡の教え――私のホ・オポノポノ体験

クリニック院長　医学博士

金城邦彦さん

海の楽園・ハワイに、このような深遠な教えが存在していたということに驚きを感じた。

そして、それらが東洋の古来の聖賢たちの教えと多くの共通点をもつことに、さらなる驚きを感じた。

重要なことは、ヒューレン博士のハワイの州立精神病院における奇跡的な実績である。その事実は、この教えの実際的な有効性を示している。

また、この教えによる高血圧患者の血圧の改善を示す論文もある。さらに、この教えを実践した人々に起こった奇跡的な問題解決の体験の報告が多数存在する。

少々懐疑的だった私も、これらの実績や論文と接することにより、強い興味をもつようになった。

そこで、セミナーを受けた後、早速、日常の診療で試してみた。

診察室へ患者を呼び入れるとき、そのカルテの名前と住所を見ながら、「愛しています。ありがとう、感謝します」と心の中で、あるいは小声で2、3回唱えるようにしたのだ。

すると、興味深いことが起こった。

診察の最中、私の心はいつもより穏やかとなり、患者に対する親しみや同情心といったものが増したように感じられたのだ。これは、感謝の言葉を唱えるのを忘れて患者と対面したときの自分の精神状態を振り返ると、さらによく実感できる。

このような効果は、患者との関係ばかりでなく、医師としての私自身の精神的、肉体的健康にもよい影響を与えているだろう。

ほとんどの病気に、精神的なストレスが強く関与していると思われる。

ホ・オポノポノの教えの理解と実践により、人々の心に内的な平和と安定、感謝や愛情の念といったものが確立され、病気の予防や治癒が促進されるものと思われた。

さらに、これらの内的な変化が、さまざまな問題の解決といった外的環境における奇跡的な変化を生み出すものと思われる。

ホ・オポノポノの教えは、単に個人の問題解決にとどまらず、世界平和の確立にも役立つものと確信する。

奇跡のようなことが次々実現――私のホ・オポノポノ体験

天然素材パン工房リトル・トリー
高木みのりさん

私は夫とともに、自家製酵母と国産小麦のパン屋を営んでいます。

付録　体験談
ホ・オポノポノで開いた素晴らしい人生の扉

私は心の中に、「どうして地球はこんなに戦争や環境問題、飢餓、南北問題、格差、貧困、暴力にあふれているの？　どうしたら解決できるの？　私はなんのために生まれてきたの？　そもそも私は何者（誰）なの？　私という小さな存在に何ができるの？」という問いをずっと抱いて生きてきました。

この答えを探求する手段としてパン屋という仕事を与えられたように感じ、職人の夫に助けられながら、パン屋という町場のありきたりなところだからこそできることを続けてきました。

とくに子供を産んでからは、先の思いが強くなりました。

社会や政治家、これまでの大人が悪いと非難して諦めるのではなく、ガンジーが言う「あなたが望む世界の変化に、あなた自身がならなくてはならない（You should be the change you wish to see in the world.）」という言葉を大切にして、「私にできること」をしてきたつもりでしたが、何か決定的に大切なものが足りないと感じていました。

それは、敵と味方を分けるやり方では解決できない何か……。

そんなことを考えていた２００６年夏頃、「世界一風変わりなセラピスト」を読み、「これだ！」と感じました。

「どうしてもクラスに参加したい！」と、ホ・オポノポノのファウンデーションのサイトを探し当てたものの、クラスはすべて海外でした。どうしたら日本でやってもらえるの？と自問していたとき、カナダ在住でピースフィロソフィー・センター主幹の乗松聡子さんがクラスに参加したとブログに書いているのをみつけ、乗松さんのように平和教育に携わる方がクラスに参加したんだと元気をもらいました。

そのとき突然、「きくちゆみさんに相談しよう！」というアイデアがひらめきました。面識がある程度だったにもかかわらず思いきってメールを出したところ、「これは平和省にも必要だ！　ハワイに会いに行こう！」と即答のメールをもらい、本当にビックリしました。

彼女がハワイに行く２００７年２月が近づくにつれ、どういうわけか内側にもう一人の私が出現して、「どうしても一緒に行け！」と言うのです。

「店を休めないよ」

「じゃ、ヒューレン博士に手紙を書くべき」

「そんなの何かおこがましいよ、どうやって書けばいいのかわからない」

と内側で言い合っていました。

ところが、「行こう!」と決断したとたん、目の前で閉じていたドアがいっせいに開くように状況が整い、早急にヒューレン博士にメールを出す必要が生じて、「どうしても日本にきてほしい」と、考える暇もなく思いの丈を打ち明けていました。

そして息子の4歳の誕生日に、ファウンデーションのオマカ・オ・カラさんから、「ハワイで博士とともにお会いしましょう」と電話がきたのです。私も、息子を連れてハワイで一緒にお会いすることになったのです。

超ウルトラCを連続で決めるような離れ業が、勝手に次々に実現していくようでした。オマカ・オ・カラさんから、「会う前に、全員の名前と生年月日を教えて」と連絡があったので、出発の前にリストをお送りしておきました。

そして、ハワイ行きの機内で、小麦アレルギーだった息子が突然、「ママ、ぼくもうなんでも食べられるようになった」と言いだしたのです。小麦、卵、ナッツ類の入った製品は、パンはもちろん、麺類や調味料でも湿疹や喘息を起こしていた息子が、突然、自ら大丈夫と宣言したのです。とても信じられませんでした。

小麦粉が入った機内食のそばを「どうしても食べる」と言い張るので、1本また1本と食べさせるうち、なんの問題も起こらないことに驚きました。そしてこれを境に、主なアレルギー症状がなくなったのです。

一方、ヒューレン博士との会談ではきていただくお約束はいただけず、ゆみさんご夫妻はなぜかホ・オポノポノそのものをにわかに信じることはできないといった様子に変化してしまいました。

翌日、あきらめきれずにいた私は、突然、無理矢理ゆみさんご夫妻の関心をホ・オポノポノに向けさせようとしている自分に気づいたのです。自分でできることをする前に、人に頼ってなんとかしてもらおうと思っていたのでした。

私はそれを受け入れ、「いつでも連絡ちょうだいね」と言ってくれたオマカ・オ・カラさんに電話をしました。すると、すぐに私たち親子を迎えにきてくださり、思いがけずヒューレン博士にも再会できたのです。

「クリーニングとはこういうことなんだよ」と笑いを交えて話してくださるヒューレン博士に、傍らにいた息子がいつしか、「すげー！　ママ、すごいね！」と目をキラキラ輝かせて感動しているのです。

通訳もしなかったのに本当にわかったのかと驚いている私に、博士が「いや、マサトはわかったんだ。小さく見えるけれど、魂はきみよりもずっと古いんだよ」と言うのです。

そして、日本に帰って、誰をも何をも操作しようとしたり画策しようとしたりせず、ひたすらクリーニングしつづければ、道は開けるだろうと言ってくれました。

帰国後、小さな息子がよき理解者となってどれほど支えてくれたか、とても書ききれません。

気づくと、きくちゆみさんご夫妻もホ・オポノポノの虜になっていて、本当に驚きました。さらに、平良ベティーさんが現れてから、毎日、クリーニングがとても楽しく新鮮になりました。11月にクラスを開催できたことは、はじめから思えば奇跡の連続でした。

いまは本職に戻ってクリーニングを続けていますが、不思議な出会いや、めぐり合わせが続いています。

父に大腸がんがみつかったときも、私はその2カ月ほど前から、がんについて重要な提言をした故医学博士のご子息や、がんと闘うことをやめて克服した人と出会ったり、必要な書籍と出合ったり、不思議なことが次々にありました。

これにより、がんは不治の病ではないこと、断食や食事療法、呼吸法、瞑想や思い方などで消えてしまうことを学んでいたので、ショックを受けることなく、父母に必要な情報を伝えることができました。

正直言ってクリーニングはすごく難しく苦しい局面もありますが、これからもずっと一瞬一瞬ごとにクリーニングしつづけていこうと思います。

いまは、発酵に携わる者として、目に見えないところでいつも働いてくれている微生物や道具たちをとてもありがたく感じています。

マイホーム、スイートホームへの道――私のホ・オポノポノ体験

セリーン株式会社代表
平良ベティーさん

私は25年間、セミナージャンキーと友達に言われるほど、自分と周りの現実をどうにかして変えようと、「これはいい！」と評判のセミナーは国内外を問わず飛び回ってきました。

44歳になって更年期障害とうつで会社を休眠状態にして家にこもるようになりましたが、外に出ようと犬を飼い、もっと幸せになれる家はないかと、ｙａｈｏｏ不動産で毎日のように家探しをしていました。

私は、セミナージャンキーであると同時に、2、3年に1度は家を替える引っ越し魔でもあったのです。

やっと念願だった都内の庭付き一戸建ての夢のような物件に出合って引っ越したのですが、引っ越して2、3週間後にはもうネットで次の物件を探していました。

相変わらず周りの友達からさまざまなセミナーの情報が入ってきましたが、当時はすでにうつ状態で無気力になっていたし、かつてのセミナー生活にほとほと疲れていたため、興味を失っていました。

そんなある日、長年の友人であるロビンが、「面白いクラスがあるよ」と、ＳＩＴＨホ・オポノポノのリンクを送ってくれました。

内容を読んでいると、セミナーなんてもういいやと言っていたのに、はじめて体の奥から（自分以外の何者かのような）自然なエネルギーを感じ、翌週にはロサンゼルスに飛んでベーシック1クラスを受講していました。

日本に戻り、クリーニングをただひたすら毎日続けました。途中で何度かわからなくなったり挫けかけましたが、それでも続けました。

そのとき住んでいた家に対しても、それまでの自分勝手な振る舞いを詫びて、感謝しました。

「本当にありがとう。ここに引っ越してこられてとてもうれしい。

あなたの許可なしに勝手にリフォームを繰り返し、お庭の手入れが面倒くさいと文句ばかり言って本当にごめんなさい。

この家に引っ越してもう3年経ち、その間に娘は大学を卒業して家を出て自立し、息子は浪人を経て希望の大学に入学できました。この家に導かれたお陰で犬を飼う勇気をもつことができて念願の夢が叶いました。

これらは、みんなあなたのお陰です。ごめんなさい」

すると、家は自分が「テルマ」という名前であることを教えてくれました。

テルマは35歳の古い家でしたが、はじめて住人と話ができたと喜んで、私を大きく包んでくれました。

2カ月ほどクリーニングをしていると、7月の終わりにSITHホ・オポノポノのアメリカ本部から、11月だったらヒューレン博士が日本に講演に行けると連絡がありました。

付録 体験談
ホ・オポノポノで開いた素晴らしい人生の扉

それからというもの、それまで引きこもっていた私は、あくまでも自然に当たり前のように、日本でのホ・オポノポノのクラスを開講するため、当時のパートナーだった高木みのりさんと一緒に動きはじめました。

事務所を借りる必要があったので、久しぶりにネットで不動産情報を見ました。なんとなく見ていると、昔から考えていた理想の物件と出合えました。しかし、ペット2匹と予算オーバーという壁がありました。

昔から憧れていたマンションだったので、駄目もとで不動産屋さんに7万円家賃を下げることと、その他初期費用を割り引いてもらう交渉をしました。その間、クラスで学んだクリーニングの方法を続けていました。すると、面接をしたいということで連絡があり、なんとその場で決定したのです。

暑い8月初旬に引っ越しが決まり、テルマに、本当に素敵な場所を与えてくれたことを感謝していると話しました。

すると、テルマは私が26歳で離婚してからちょうど8件目の物件だったのですが、それまでペット禁止と同じ確率で母子家庭が嫌がられていた過去の記憶が出てきました。これにより、過去25年間がひととおりクリーニングでき、背負っていた記憶が体から流れ出ていくようでした。

テルマが、全部それを聞いてくれ思い出させてくれました。クリーニングが終わる頃には玄関で額を床につけながら土下座し、涙を流して深く呼吸していました。

家を出るにあたって、不動産屋さんに掃除などの後始末は業者に任せるからそのままにして出てくださいと言われましたが、唯一自分がテルマに対してできることは掃除して入居時よりもピカピカにしてお返しすることだったので、自分の手で大掃除しました。

大掃除しているあいだ、自分の心の中がクリーニングされ、軽くなっていくのを実感しました。

それまでは、「あー、もうこんな家いやだ」と思って家を替えていましたが、そのときは家がとても愛おしく感じられ、別れを寂しく感じました。

そこでもまた、ベーシック1クラスでいただいたマニュアルに掲載されていたクリーニングツールをいくつか使いました。すると、後ろ髪引かれる思いが消え、とてもすっきり大掃除を完了することができました。

これが、本当のお引っ越しだったのです。

心の状態が平和であれば、暮らす場所がどんなところであろうと、マイホーム、スイートホームなのです。

ホ・オポノポノのプロセスを経て、私はいま人生最高のスイート・マイホームを手に入れました。

あとがき
執筆の過程で起きたとても不思議なこと

本書の執筆にあたって、ブルーソーラー・ウォーターを飲みつつ、「Ceeport」グッズを身につけ、四つの言葉を唱えるのが習慣となった。そして、執筆の過程でとても不思議なことが起きた。

いつも取材内容については録音から文字データを専門家に起こしてもらっているが、音源に戻って確認しなければならない箇所が必ず出てくるものだ。長時間にわたる録音の中から特定の言葉を探し出して確認するのはとても面倒な作業なのだが、今回はパソコンで録音データを探すと、すぐに必要な箇所が出てきた。

そういうところが何箇所かあって、今度こそそんなに都合がいいことはもう起きないだろうと思いながら録音を聞くのだが、すぐに確認したいところがピタッと出てきた。

長年、この仕事をしてきたが、こんなことははじめてである。単なる偶然とは、とても思えない。これは、ホ・オポノポノの直接的な効果という以外、考えようがない。

インタビューにあたっては、ＳＩＴＨ・ホ・オポノポノの哲学的で深い部分と、ただただ四つの言葉を唱えていれば、その意味など知らなくてもいいという単純さにギャップを感じていた。しかし、この疑問は、ヒューレン博士の懇切な説明で氷解した。

私はこれまでスピリチュアル関係の本を何冊か手掛けてきたが、さまざまな世界観があるなかで、ＳＩＴＨホ・オポノポノの世界観は矛盾なくすべてを包括している。

ヒューレン博士には、一緒にいるだけで包み込まれるような安心感を感じさせる何かがある。キャップがトレードマークのようになっているが、ひさしの下の笑顔はまさに無限のやさしさを感じさせた。

インタビュアーの常として、納得できないことは何度も何度も聞き方を変え、

あとがき
執筆の過程で起きたとても不思議なこと

言葉を換えて質問するものだが、私の愚問や難問にもヒューレン博士は笑みを絶やすことなく答えてくれた。

　来日中の忙しいスケジュールのなか、かなり遅くまで長時間にわたってインタビューさせていただいたが、ヒューレン博士の年齢を感じさせないエネルギッシュさには驚かされた。これも、ホ・オポノポノの効果かもしれない。この本の出版が、神聖なる存在によって導かれた証拠だろう。

　原稿の執筆にあたっては、ヒューレン博士の日本でのマネジメントをしている平良ベティーさんに大変お世話になった。本書の実現は、彼女の献身的な努力の賜である。

　いまでも、私の頭の中では、四つの言葉が途切れることなく続いている。

ありがとう。ごめんなさい。許してください。愛しています。

２００８年9月11日

櫻庭雅文

イハレアカラ・ヒューレン（Ihaleakala Hew Len）
1962年コロラド大学卒業後、ユタ大学を経て、1973年アイオワ大学で教育長・特殊教育ディレクターの博士号を取得して医科大学学長、教育学部助教授に就任。1974年ハワイ大学助教授、1976年知的障害者ハワイ協会事務局長、1983年より1987年までハワイ州立病院精神科医スタッフ。現在、The Foundation of I, Inc. Freedom of the cosmos名誉委員長。1983年から、国連、ユネスコ、世界平和協議会などでSITHホ・オポノポノに関する講演を行うほか、ハワイ、アメリカ本土、ヨーロッパ、日本などで普及活動に努めてきた。共著に、『ハワイの秘法』（東本貢司訳、PHP研究所刊）『たった4つの言葉で幸せになれる！心が楽になるホ・オポノポノの教え』（イースト・プレス）などがある。
http://hooponopono-asia.org/www/jp/（日本）
http://www.self-i-dentity-through-hooponopono.com/（USA）

櫻庭雅文（さくらば　まさふみ）
1953年、秋田県生まれ。成城大学経済学部卒業後、出版社勤務を経て独立、出版プロデューサーとして数多くの書籍および雑誌の企画・執筆・編集・制作に携わる。科学、ビジネス・経済、社会、スピリチュアルなど、幅広い分野で活躍、数多くのベストセラーを生み出してきた。著書に、『アミノ酸の科学』（講談社刊）、『図解ひと目でわかる！ＤＮＡ』（学習研究社刊）、共著に『数字が明かす日本人の潜在力』（講談社刊）などがある。

みんなが幸せになるホ・オポノポノ

第1刷　2008年9月30日
第39刷　2023年10月5日

著者　イハレアカラ・ヒューレン、櫻庭雅文
発行者　小宮英行
発行所　株式会社徳間書店
〒141-8202　東京都品川区上大崎3-1-1
目黒セントラルスクエア
電話　編集（03）5403-4344／販売（049）293-5521

振替　00140-0-44392
本文印刷　本郷印刷株式会社
カバー印刷　真生印刷株式会社
製本所　ナショナル製本協同組合

乱丁・落丁はお取り替えいたします。

Printed in Japan
ISBN978-4-19-862604-4